Le souffle de la passion

ERICA SPINDLER

Le souffle de la passion

ÉMOTIONS

éditions Harlequin

Cet ouvrage a été publié en langue anglaise
sous le titre :
BABY, COME BACK

Traduction française de
NELLIE D'ARVOR

HARLEQUIN®

est une marque déposée du Groupe Harlequin
et Émotions® est une marque déposée d'Harlequin S.A.

Photos de couverture
Paysage : © PHOTODISC / GETTY IMAGES
Couple : © PHOTODISC / GETTY IMAGES

Toute représentation ou reproduction, par quelque procédé que ce soit, constituerait une contrefaçon sanctionnée par les articles 425 et suivants du Code pénal.
© 1994, Erica Spindler. © 2004, Traduction française : Harlequin S.A.
83-85, boulevard Vincent-Auriol, 75013 PARIS — Tél. : 01 42 16 63 63
Service Lectrices — Tél. : 01 45 82 47 47
ISBN 2-280-07890-2 — ISSN 1264-0409

1.

— Enceinte ? Tu en es sûre ?

Alice Dougherty avait failli s'étrangler de surprise en apprenant la nouvelle. L'adolescente assise devant son bureau essuya ses larmes du dos de la main, hocha la tête et gémit :

— Je suis allée voir un docteur.

Alice se recula pour s'adosser à son siège et croisa les jambes, s'efforçant de masquer sa déception. Au moindre signe de rejet de sa part, la jeune fille lui échapperait, et elle ne voulait pas compromettre le lien fragile qu'elle avait réussi à nouer avec Sheri Kane.

— Cela fait… combien de temps ? reprit-elle après s'être éclairci la gorge.

Sheri releva les yeux, mais, incapable de soutenir le regard d'Alice, retourna bien vite à la contemplation de ses doigts qui se tordaient sur ses genoux. D'une voix misérable, elle précisa dans un souffle :

— Neuf semaines…

Un flot de tendresse et de sympathie balaya toutes les réticences d'Alice. Dans sa situation déjà difficile, songea-t-elle, que pouvait-il arriver de pire à Sheri que de se retrouver enceinte à dix-sept ans ?

Tous les jeunes du Foyer de l'Espoir lui étaient chers, mais la jeune fille tenait une place particulière dans son cœur. Pour s'être retrouvée dans la même situation qu'elle à dix-neuf ans, elle était bien placée pour comprendre quels pouvaient être ses sentiments.

Luttant pour ne pas se laisser déborder par l'affectif et garder la distance professionnelle qui convenait, elle demanda :

— Tu l'as déjà annoncé à ton père ?

Choquée, Sheri redressa la tête.

— Vous rigolez ? s'insurgea-t-elle. C'est le meilleur moyen pour me retrouver sur le pavé !

Elle croisa les bras et décréta d'un air buté :

— Aucun risque que je lui dise !

Pensive, Alice détailla sa protégée de la tête aux pieds. Un observateur non averti aurait vu en elle une jeune Américaine comme tant d'autres : cheveux mi-longs châtain clair, ramenés derrière les oreilles, de grands yeux bleus, un beau visage, une constitution longiligne…

Et comme tant d'autres, elle aurait pu vivre dans une banlieue résidentielle typique, avec une mère qui cuisine de l'apple pie et un père qui tond la pelouse le dimanche. Hélas, rien n'aurait pu être plus éloigné de la vérité que ce cliché. Car ce beau visage aux yeux pétillants d'intelligence masquait les cicatrices de la maltraitance — autre point commun entre elles…

Pour les empêcher de trembler, Alice croisa les mains et suggéra :

— Peut-être ne réagirait-il pas comme tu l'imagines.

— Ah oui ? Il me le répète sur tous les tons depuis que j'ai eu mes premières règles…

Son visage se tordit et sa voix se fit traînante et rauque pour imiter celle de son père :

— Tu m'ramènes un bâtard, môme, et tu t'retrouves dehors avant d'avoir pu dire ouf !

Les yeux brillants, Sheri pointa le menton en une attitude de défi et conclut :

— Je pensais attendre que ça se voie vraiment avant de le lui annoncer.

— Sheri…, protesta Alice d'une voix douce. Je ne pense pas que ce soit le meilleur moyen pour…

— Inutile d'insister ! Vous ne me ferez pas changer d'avis.

Comprenant qu'il fallait lâcher du lest, Alice tenta une autre approche.

— Qu'en est-il du père de ce bébé ? Il a son mot à dire, lui aussi…

Les épaules de la jeune fille s'affaissèrent. Morose, elle retourna à la contemplation de ses doigts noués.

— Je n'ai encore rien dit à Jeff, reconnut-elle. Vous comprenez, je ne voudrais pas que…

Les yeux brillants de nouvelles larmes, elle redressa la tête et accrocha son regard à celui d'Alice.

— Je ne *peux pas* lui dire ! Et s'il se mettait à me haïr en l'apprenant ? S'il était en colère, s'il me…

Sheri fondit en larmes et ne put en dire plus. Le visage caché entre ses mains, les épaules secouées de gros sanglots, elle laissa libre cours à sa détresse.

Emportant avec elle une boîte de mouchoirs, Alice se leva et contourna son bureau pour aller lui passer un bras autour des épaules.

— Ça va aller…, murmura-t-elle. Nous allons faire ce qu'il faut pour ça. Ne t'inquiète pas, tout s'arrangera.

— Je voudrais tant vous croire, gémit-elle entre deux sanglots. Mais je n'y arrive pas. Jamais rien ne s'arrangera. Jamais…

— Oh, Sheri... Il ne faut pas dire ça. Je sais ce que tu ressens, mais je te demande de me faire confiance pour te tirer de là.

Les pleurs de la jeune fille redoublèrent. Le cœur serré, Alice renonça à tenter de la raisonner et s'efforça d'adoucir sa peine en lui caressant les cheveux. Il y avait des instants, comme celui-ci, où les paroles les plus avisées ne pouvaient remplacer un geste de tendresse. Lorsque ses sanglots s'espacèrent, elle se permit de lui soulever le menton du bout du doigt et lui sourit avec bienveillance.

— Tu te sens un peu mieux maintenant ?

Alors qu'elle achevait à peine d'éponger son visage, de nouvelles larmes emplirent les yeux de Sheri.

— Pas vraiment, non...

Au prix d'un effort manifeste, elle parvint à ne pas se remettre à pleurer. Alice y trouva matière à espérer. La situation était délicate, mais Sheri était de taille à y faire face.

— J'ai tout faux ! reprit-elle, avec à présent plus de colère que de tristesse dans la voix. Comme d'habitude j'ai tout fait foirer... Si vous saviez, Miss A., comme je me sens stupide !

Alice n'était pas dupe. Dans la bouche de Sheri, ces mots étaient ceux de ses parents. Ainsi jugeaient-ils leur fille, tout comme ses parents à elle l'avaient fait à son sujet.

Une saine indignation fulgura en elle. Agrippant les mains de sa protégée, elle protesta :

— Tu n'as pas le droit de dire ça, et tu n'es pas stupide. Les femmes ont à faire face à des grossesses imprévues depuis que le monde est monde. Tu dois dire la vérité à Jeff !

Comme pour échapper à son regard, Sheri ferma les yeux et secoua la tête.

— Impossible…, gémit-elle. Je ne peux pas !

— Il le faut ! Cet enfant le regarde autant que toi. Vous avez des décisions à prendre, tous les deux.

Alice serra entre les siennes les mains de Sheri et reprit, d'une voix radoucie :

— Un problème ne disparaît pas parce qu'on décide de l'ignorer, tu sais…

— Je sais, admit-elle en détournant le regard. Mais je l'aime tant… Je ne supporterais pas qu'il se mette en colère contre moi et qu'il…

— Quoi ? insista Alice. Qu'est-ce que tu ne supporterais pas ?

— Qu'il me quitte.

D'une voix blanche, Sheri venait d'exprimer la pire de ses craintes. Qu'aurait-elle pu attendre d'autre de la part de l'homme qu'elle aimait, elle qui n'avait jamais connu dans sa famille que violence et rejet ?

— Miss A. ? demanda-t-elle d'une petite voix timide. Avez-vous déjà aimé quelqu'un au point de… au point de penser mourir sans lui ?

Le souffle coupé, Alice vit une série d'images imparables et douloureuses affleurer à sa mémoire.

Hayes, souriant et charmeur.

Hayes, riant aux éclats en la prenant dans ses bras.

Hayes, enfin, grave et tendu, au moment de lui faire ses adieux.

De chaudes larmes affluèrent à ses yeux, qu'elle s'empressa de ravaler. Comment la trahison de cet homme pouvait-elle encore l'affecter à ce point, douze ans après ? Elle secoua la tête pour se reprendre. Outre qu'elle était en entretien et ne pouvait se pencher sur ses propres misères, il y avait longtemps qu'elle avait dépassé ce chagrin d'amour de jeunesse.

— Miss A. ? insista gentiment Sheri. Avez-vous un jour été amoureuse ainsi ?

— Oui, répondit-elle d'une voix ferme. Une fois. Alors que j'avais dix-neuf ans.

Piquée par la curiosité, la jeune fille en oublia un instant ses problèmes et se pencha vers elle.

— Vraiment ? s'étonna-t-elle. Et que s'est-il passé ?

Alice n'hésita qu'un court instant à répondre.

— Il m'a… il m'a quittée. Et comme toi, j'avais imaginé mourir sans lui. D'ailleurs, quand il est parti, j'ai bien cru que c'était ce qui allait m'arriver. Pourtant, comme tu le vois, j'ai survécu…

Sheri secoua la tête d'un air incrédule.

— Mais… Comment avez-vous fait ? Je ne crois pas que je le pourrais.

Alice songea à l'infinie tristesse de ces jours enfuis, à la douleur, au désespoir qui durant des semaines ne l'avaient plus lâchée. Elle avait bien cru ne jamais s'en remettre, mais avec le temps le désespoir s'était apaisé.

— Je ne sais pas, murmura-t-elle. Cela s'est fait tout seul, presque malgré moi. Et un beau matin, je me suis réveillée en comprenant que j'étais guérie de lui, que je ne souffrais plus de son absence. Une certitude qui n'a fait ensuite que se vérifier.

— Vous êtes plus forte que je ne le suis, Miss A. Moi, je ne pourrais pas le supporter — j'en suis sûre.

Bien que convaincue du contraire, Alice se garda bien d'argumenter, préférant revenir au sujet qui les occupait.

— Est-ce le père de Jeff qui te fait peur ? Est-ce à cause de lui que tu crains de lui en parler ?

Les joues sillonnées de nouvelles larmes, Sheri acquiesça d'un signe de tête.

— Je vous ai expliqué comment il avait essayé de nous séparer, Jeff et moi... Il me déteste. Il pense que je ne suis pas assez bonne pour son fils. S'il apprend que je suis enceinte, il ne sera que trop content de nous séparer pour de bon.

Alice prit le temps d'aller se rasseoir à son bureau pour se calmer. Chaque fois qu'elle entendait Sheri parler du père de son petit ami, elle n'avait aucun mal à faire sienne la colère qui affleurait sous ses paroles. Sheri était une jeune fille intelligente et courageuse, qui avait dû surmonter bien des épreuves pour en arriver où elle en était aujourd'hui.

Que ce père élitiste et sans cœur puisse la rejeter à cause de sa situation familiale réveillait en elle de vieilles révoltes personnelles. Aider sa protégée à surmonter la tristesse que lui inspirait le rejet de cet homme ne suffirait pas, décida-t-elle. A la première occasion, elle ne manquerait pas d'exprimer à ce rustre sa façon de penser.

— Vous savez quoi ? reprit la jeune fille avec un rire grinçant. Jeff m'a raconté que les collègues de son père l'appellent *Bradford-cœur-de-pierre*. Il a hâte d'avoir terminé ses études pour le quitter...

Figée derrière son bureau, Alice dut lui faire répéter pour être sûre de n'avoir pas mal entendu.

— Bradford ? Tu dis que c'est le nom de famille de Jeff ?

Sheri hocha lentement la tête et fronça les sourcils.

— Miss A. ? s'inquiéta-t-elle. Quelque chose vous tracasse ?

— Son père..., ajouta-t-elle sans lui répondre. Tu m'as dit qu'il est avocat, n'est-ce pas ?

De nouveau, Sheri acquiesça et Alice dut se retenir pour ne pas grincer des dents. Cela n'avait aucun sens, mais pourtant il lui était difficile de ne pas faire le rapprochement...

L'homme insensible qui faisait enrager Sheri depuis des mois, le père inflexible qui se dressait entre elle et son petit ami, n'était autre que celui qui l'avait elle-même rejetée douze ans auparavant. Jeff, quant à lui, devait être le petit Jeffy devenu adulte...

Il était arrivé à Alice de songer à lui, se demandant quel genre d'homme il avait pu devenir, et s'il restait un peu d'elle dans sa mémoire. Quand elle avait fait la connaissance de Hayes, son fils lui avait semblé à ce point en manque de mère qu'elle avait tout de suite rêvé d'en devenir une pour lui. D'une certaine manière, elle lui pardonnait plus volontiers de l'avoir quittée que de l'avoir forcée à abandonner Jeff derrière elle. Ce n'était juste ni pour elle, ni pour son fils...

En proie à une stupeur muette, Alice baissa les yeux et fixa ses poings serrés devant elle sur le bureau. Comment aurait-elle pu suspecter que le père de Jeff n'était autre que Hayes Bradford, avocat aussi talentueux qu'inflexible ? Après tout, cela faisait douze ans qu'il était sorti de sa vie. Et durant tout ce temps, elle n'avait pas dû penser plus d'une ou deux fois à lui.

— Excusez-moi... Miss A. ?

Brusquement tirée de ses pensées, Alice tourna la tête vers le jeune homme qui venait de passer la tête par l'entrebâillement de la porte de son bureau.

— Oui, Rob ?

— Tim est arrivé.

Durant un court instant, Alice ne sut ce qu'il voulait dire. Puis, se rappelant son rendez-vous suivant, elle se força à lui sourire.

14

— Merci, Rob. Demande-lui de patienter une ou deux minutes, veux-tu ?

— O.K. Mais je voulais vous dire…

Son jeune assistant secoua la tête d'un air attristé et conclut :

— Tim ne me semble pas au mieux de sa forme, aujourd'hui.

Le visage d'Alice se rembrunit. La périphrase de Rob ne pouvait signifier qu'une chose — Tim avait replongé… Après tout le temps qu'ils avaient passé à le guérir de sa dépendance à la drogue, elle et son équipe, la nouvelle avait toute l'amertume d'une défaite.

— J'en tiendrai compte, Rob… Merci de m'avoir prévenue.

Dès que la porte se fut refermée derrière lui, Sheri agrippa son petit sac à main et bondit de sa chaise.

— Puisque Tim s'est encore drogué, dit-elle en frissonnant, je préfère ne pas le croiser. Il me donne la chair de poule quand il est comme ça…

Surprise de sa réaction, Alice lui lança un regard inquisiteur. Au Foyer de l'Espoir, Sheri était connue pour s'accorder avec tout le monde. Jamais elle ne l'avait entendue médire d'un de ses camarades.

— Il y a un problème, entre Tim et toi ?

L'adolescente haussa les épaules, évitant son regard et mordillant sa lèvre inférieure.

— Je n'en sais rien…, répondit-elle de mauvaise grâce. C'est juste que… quelque chose en lui me rend nerveuse.

Inquiète, Alice fronça les sourcils et insista :

— Il a cherché à s'en prendre à toi, ou il t'a menacée d'une manière ou d'une autre ?

Sheri secoua négativement la tête, jetant un coup d'œil nerveux en direction de la porte.

— Non, non… Je dois y aller maintenant.

Intriguée par sa réaction, Alice quitta son bureau pour l'accompagner à la porte et se promit de lui en reparler plus tard.

— Tu me promets de penser à ce que je t'ai dit ? A propos de Jeff…

Sheri actionna la poignée et se força à lui sourire.

— J'essaierai.

Mais avant qu'elle ait eu le temps de s'éclipser, Alice la retint par le bras.

— N'oublie pas que je suis là pour toi. D'accord ?

Les yeux brillants, la jeune fille hésita un court instant, puis hocha la tête et tourna les talons.

Garé au bord du trottoir devant le Foyer de l'Espoir, Hayes Bradford leva les yeux sur la vieille maison victorienne biscornue et délabrée. Ainsi, songea-t-il, c'était ici qu'Alice passait ses journées, ici qu'elle gagnait sa vie, ici que l'avaient menée les douze années qu'ils n'avaient pas vécues ensemble. Et c'était ici, par la force des choses, qu'il allait devoir reprendre contact avec elle.

Hayes se renfrogna et sentit son estomac se serrer à cette idée. Douze ans auparavant, il avait dû prendre la meilleure décision possible pour eux deux — et plus spécialement pour elle. Il n'avait jamais regretté son choix, pas plus qu'il ne s'était permis de regarder en arrière, même lorsqu'elle lui manquait si fort qu'il en aurait crié. Il l'avait pourtant profondément blessée en lui annonçant qu'il la quittait. Et cela, il ne pouvait que le regretter.

Alice était trop jeune à l'époque pour réaliser à quel point ils n'étaient pas faits l'un pour l'autre ou pour deviner la vérité à son sujet. La grande erreur, en fait, avait été de tomber amoureux d'elle… Il avait su pourtant dès le premier jour que rien de durable ne pourrait s'établir entre eux. La force de l'attraction qu'il avait ressentie pour elle avait fait taire ses scrupules. Cette attirance en elle-même était incompréhensible. Rien de ce qu'elle était, disait ou pensait n'était en accord avec ses propres préoccupations.

La jeune femme qui l'avait séduit avait l'esprit vif, la langue acérée, et une fierté à toute épreuve. Mais il avait vite compris que ces apparences cachaient une vulnérabilité et une sensibilité à fleur de peau. A l'époque, il l'avait comparée à une figue de barbarie, hérissée en surface et tendre à cœur… Un cœur fragile, que pouvait blesser la moindre maladresse — bien trop fragile, en fait, pour être remis entre les mains d'un homme tel que lui.

Perdu dans ses souvenirs, Hayes s'enfonça dans son siège, fixant la rue d'un œil absent. Il n'avait jamais compris comment Alice s'était débrouillée pour ne pas s'aigrir. Avec l'enfance qu'elle avait vécue, après les abus dont elle avait souffert, comment avait-elle pu conserver en elle de tels trésors de tendresse ? Où avait-elle puisé la force de dénicher le bien où il se trouvait et la volonté d'apporter sa pierre à l'édifice du monde ?

De nouveau, les yeux de Hayes se portèrent sur la façade décrépite du vieil immeuble. Alice avait-elle changé ? Etait-elle restée la même personne sensible, la même femme enthousiaste qui lui avait brièvement fait croire en la force des illusions ? A moins que la vie ne se soit chargée — de la manière forte — de la faire mûrir et de tempérer son bel idéalisme… Au cours des années écoulées, il lui était souvent arrivé de se demander ce qu'elle était devenue. Aujourd'hui, il voulait le savoir…

Après avoir pris soin d'actionner l'alarme de son véhicule, Hayes gravit les marches du perron d'un pas décidé.

La porte du Foyer de l'Espoir l'invitant à entrer sans s'annoncer, il pénétra dans un hall obscur au fond duquel se trouvait un comptoir d'accueil. L'adolescent aux cheveux longs qui s'y trouvait ne leva pas les yeux pour l'accueillir. Habillé d'un jean troué aux genoux et d'un T-shirt élimé couvert de motifs psychédéliques, il portait un casque de baladeur dernier cri. Usant de stylos en guise de baguettes, il martelait le comptoir en rythme avec la musique qui lui emplissait les oreilles.

— Excusez-moi…, fit Hayes en agitant ses mains dans le champ de vision de l'adolescent.

Sans même paraître surpris, celui-ci releva la tête, lui sourit et éteignit le baladeur sans ôter son casque.

— Yo, man. C'est pour quoi ?

Foudroyant du regard ce réceptionniste hors norme, Hayes répondit en maugréant :

— Je cherche la psychothérapeute du Foyer.

— Le bureau de Miss A. se situe juste là, répondit le jeune homme en lui montrant du doigt une double porte au fond du hall. Vous voyez ?

— Et vous pensez qu'elle s'y trouve en ce moment ?

— Pour sûr ! s'exclama-t-il en riant. Elle y passe ses journées, vous savez…

Sans même lui laisser le temps de le remercier, le jeune homme appuya sur la touche de son baladeur et reprit ses exercices de percussion.

Haussant les épaules, Hayes suivit la direction indiquée par le musicien en herbe. Sans doute devait-il se montrer reconnaissant, songea-t-il amèrement, que son fils ne lui ressemble pas. Après tout, il aurait fort bien pu passer ses journées au Foyer de l'Espoir au lieu de… roucouler près de sa petite amie enceinte.

Rattrapé par son infortune, Hayes jura entre ses dents. Comment Jeff — étudiant émérite, athlète hors pair — avait-il pu se montrer aussi inconséquent et se fourrer dans un tel guêpier ? Mais après tout, conclut-il pour lui-même, il était mal placé pour le juger. Tel père tel fils ? Enfin, pas tout à fait…

Il était beaucoup plus âgé et plus expérimenté que son fils lorsque la même mésaventure lui était arrivée. Heureusement, Alice et lui avaient eu la chance que Dame Nature se charge elle-même de résoudre le problème.

De la chance… Comme un écho ironique, les mots tournèrent un instant sous son crâne. Il ne s'était pas estimé chanceux à l'époque d'avoir perdu leur enfant. Pas plus qu'aujourd'hui d'ailleurs. Cette perte ne lui inspirait ni colère ni regret. En fait, comme la plupart du temps, il ne ressentait rien.

Hayes passa devant un groupe de jeunes gens fort occupés à discuter d'un poème. Une jeune fille montée en graine recroquevillée sur une planche à dessin couvrait une feuille de hachures dans un coin. Assis à même le sol face à elle, un jeune à la barbe naissante paraissait méditer.

Lorsqu'il avait appelé le directeur de l'établissement pour savoir ce que Sheri Kane faisait dans ce foyer, celui-ci avait décrit ce programme comme un moyen offert aux jeunes en difficulté de transcender leurs problèmes au travers d'activités créatives. Ou quelque chose dans ce genre… Tout ce qui l'intéressait quant à lui, c'était de pouvoir mettre la main sur la petite amie de son fils, afin de les aider à résoudre leur problème.

Hayes trouva la porte du bureau d'Alice entrebâillée et entra. Elle se tenait debout devant l'unique fenêtre de la pièce, le dos tourné vers lui. La gorge soudain sèche, le cœur battant à coups redoublés, il ne put s'empêcher de la toiser de la tête aux pieds.

Chaque détail de sa silhouette réveillait en lui des souvenirs torrides. La courbe de ses hanches dans son jean ajusté lui rappelait à quel point il avait aimé en suivre le contour du bout des doigts. Il gardait à la mémoire la texture de sa peau, tendre, chaude et incroyablement douce. Il lui semblait sentir encore le soyeux de ses cheveux couleur de miel dans le creux de sa paume. Dieu ! Comme il aimait y enfouir son visage après l'amour… Sa chevelure avait toujours eu pour lui une douce odeur de printemps.

Luttant contre la force de ces réminiscences, Hayes se passa une main sur le visage. Le moment était mal choisi pour un voyage sur les chemins de la mémoire…

Comme si elle avait pu sentir sa présence, Alice se retourna vers lui. Aussitôt que leurs yeux se croisèrent, il sut qu'elle avait beaucoup mûri. La jeune fille qu'il avait connue et aimée était devenue femme. Certains des changements qui en faisaient une autre étaient subtils, d'autres éclatants. Son visage était celui de la maturité, de l'expérience, de la confiance en soi. Sa bouche semblait plus pleine, ses lèvres plus épanouies.

Hayes laissa fuser un long soupir. Il y avait douze ans qu'Alice et lui ne s'étaient plus revus. Douze ans qu'il ne l'avait pas tenue dans ses bras, qu'il s'était privé du goût de sa bouche, de sa passion, de sa tendresse… Douze ans qu'il lui avait brisé le cœur. Il ne lui fallut pas plus que ce premier regard échangé pour comprendre qu'elle ne lui avait toujours pas pardonné. Quelque chose dans ses yeux le lui prouvait — une trace de vulnérabilité, un soupçon de douleur. Une muette accusation.

— Hello, Alice…

Une fraction de seconde, elle pointa fièrement le menton vers lui, ce qui faillit le faire sourire. Pour le lui avoir vu faire des dizaines de fois, il savait ce que ce geste signifiait — défi, colère, méfiance, douleur. Le fait qu'elle ait réussi à s'en défaire prouvait qu'elle avait également appris à ne plus laisser paraître ses véritables sentiments.

— Hello, Hayes…, répondit-elle d'une voix neutre.

— Surprise de me voir ?

— Pas du tout. Le directeur m'a dit que tu l'avais appelé. Je m'attendais à te voir débarquer tôt ou tard.

Du regard, Hayes balaya la pièce. Meublée de bric et de broc, elle aurait eu besoin d'un bon coup de peinture. Le bureau d'Alice, antiquité encombrante et assez laide, était surchargé de livres ouverts ou fermés, de dossiers dégorgeant de paperasses écornées.

— Dans ce cas, reprit-il, tu sais pourquoi je suis là.

Alice hocha la tête.

— A cause de Sheri Kane.

Après avoir ôté son manteau de cachemire, Hayes le plia soigneusement sur un dossier de chaise et dit :

— J'ai cru comprendre que tu es sa thérapeute.

— Sa conseillère, corrigea-t-elle. Ici, on préfère ce terme. Nos jeunes le trouvent plus rassurant.

— Alors, va pour conseillère…

De nouveau, Hayes observa curieusement le décor miteux du bureau et poursuivit :

— Je ne suis pas surpris de te voir travailler dans un endroit de ce genre.

Luttant pour se contenir, Alice croisa les bras et plissa les yeux.

— Tu dis cela comme si travailler pour aider les autres au lieu de faire carrière était une tare…

— Alice…, protesta-t-il d'un ton conciliant. Il n'y avait aucune intention malveillante dans mes paroles.

— Mon œil !

— Je vois qu'on peut compter sur toi pour reprendre les choses exactement où on les avait laissées…

Alice en eut le souffle coupé et sentit ses joues s'empourprer. S'efforçant de ne pas éviter son regard, elle fit un pas vers lui et s'emporta :

— Que je sache, nous ne *reprenons* rien du tout ! Tu es venu mener ton enquête à propos de Sheri, alors laisse-moi te dire ce que je pense d'elle. Sheri Kane est une jeune fille de grande valeur, adorable, intelligente, qui compte beaucoup pour moi. Je considère que j'ai avec elle une relation d'amitié, et je ne veux pas la voir souffrir plus qu'elle ne souffre déjà. A présent, si tu veux bien m'excuser, j'ai des choses à…

Alors qu'elle passait devant lui pour lui indiquer la porte, Hayes la saisit brusquement par le coude.

— Sais-tu qu'elle est enceinte ?

Alice le fusilla du regard et se libéra d'un geste sec de son emprise avant de répondre.

— Naturellement. Elle me l'a annoncé il y a deux jours. Tout comme elle m'a dit que Jeff est le père de l'enfant qu'elle porte.

— C'est ce que j'ai cru comprendre.

— La vie a parfois de drôles de raccourcis… N'est-ce pas ?

Les lèvres de Hayes se pincèrent. Le regard noir, il gagna la fenêtre et s'absorba dans la contemplation de la cour en contrebas. Regrettant déjà ses paroles, Alice contempla son dos rigide, derrière lequel ses mains croisées tremblaient légèrement.

22

Elle s'en voulait d'avoir maladroitement ouvert une porte qu'il aurait mieux valu laisser fermée. Depuis qu'elle le connaissait, Hayes Bradford avait toujours été un homme dur, cynique et déterminé, imperméable à toute émotion. Le genre d'homme à conquérir un prétoire en quelques mots, à entrer dans une salle emplie d'hommes d'affaires impitoyables et à les gagner à sa cause. Elle seule avait su discerner la part de vulnérabilité et d'émotion dont il ne savait peut-être pas lui-même qu'elle existait en lui.

Cette lueur d'humanité avait apparemment disparu avec le temps, ne laissant que l'homme froid qu'il avait toujours été. Elle aurait pu être triste pour lui si elle n'avait su qu'il était le seul artisan de son isolement. Comme pour confirmer cette impression, Hayes se retourna, le visage dur comme le granit.

— Y a-t-il une chance pour que Jeff ne soit pas le...

— ... père de l'enfant ? compléta-t-elle à sa place. Aucune !

La colère l'habitait à présent, excluant toute possibilité de compréhension ou de sympathie.

— Sheri n'a rien d'une fille facile..., poursuivit-elle avec véhémence. Elle et Jeff se fréquentent depuis des mois.

— De manière exclusive ?

— Bien entendu !

— Tu es en colère ?

— Non. Juste offensée par tes sous-entendus...

Hayes fronça les sourcils.

— Je ne vois rien d'offensant dans mes questions. Ce sont celles que tout parent se poserait à ma place.

Sa réaction n'était pas pour étonner Alice. Il l'avait toujours trouvée trop épidermique, pas assez pondérée à son goût. Quant à elle, son impassibilité avait le don de la faire sortir de ses gonds.

— Puisque tu en es si sûr, rétorqua-t-elle, pourquoi ne pas poser ces questions à ton fils ? A moins que tu ne l'aies déjà fait et que ses réponses ne soient pas à ton goût…

Hayes accusa le coup, avant de bien vite se reprendre.

— Je vois que tu as bien grandi… Tu as toutes tes dents à présent !

Alice suffoqua de fureur mais prit sur elle-même pour n'en rien montrer.

— Même si tu me traitais parfois comme telle, je n'étais plus une enfant à l'époque.

— Tu n'avais que dix-neuf ans.

— L'âge légal. J'étais une adulte.

— Et moi, j'en avais vingt-sept. Déjà veuf et père d'un jeune garçon à élever.

— Un fils que j'adorais, moi aussi. Et qui me le rendait bien.

— Alice…, protesta Hayes d'une voix agacée. Tu sais bien que nous étions aux antipodes l'un de l'autre, philosophiquement, émotionnellement parlant.

Alice songea que quant à elle, leurs différences ne l'avaient jamais empêchée de l'aimer, au point qu'elle avait cru mourir quand il l'avait quittée. Rejetant cette pensée qui la plongeait dans la tristesse, elle puisa dans sa colère la force de répliquer :

— Sauf dans un lit, n'est-ce pas ? Là, je n'étais pas trop jeune pour toi et nous n'étions pas aux antipodes l'un de l'autre !

Hayes secoua la tête.

— Arrête…, murmura-t-il. Je ne suis pas venu ici pour me disputer avec toi.

Naturellement, songea-t-elle avec amertume. Elle n'avait jamais assez compté à ses yeux pour cela.

24

— Dans ce cas, reprit-elle en lui indiquant la porte, tu n'as qu'à partir. Parce que ce que tu es venu faire ne me convient pas.

Les mains tendues devant lui en geste d'apaisement, Hayes fit un pas vers elle.

— Ces enfants sont trop jeunes pour penser au mariage ! Encore plus pour fonder une famille…

— Pourquoi employer le pluriel alors qu'en fait tu ne penses qu'à ton fils ?

Hayes hocha la tête.

— Il est vrai que c'est mon sujet de préoccupation principal.

— Eh bien moi, ma principale préoccupation, c'est Sheri !

— Alors aide-moi à les raisonner tous les deux…

Devant son visage fermé, Hayes grogna de dépit et regagna son poste d'observation devant la fenêtre. Durant un long moment, il se tut. Et lorsqu'il revint se planter devant elle, son expression était celle d'un homme aux abois.

— Alice…, la pressa-t-il. Tu dois m'aider. Jeff s'est tellement entiché de cette gamine qu'il n'arrive plus à réfléchir clairement.

A ces mots, le sang d'Alice ne fit qu'un tour. Quelle avait été l'excuse du père de Jeff, à l'époque où il avait commis l'erreur de tomber amoureux d'elle ? Avait-il été tellement « entiché » qu'il en avait eu l'esprit embrouillé ?

— Alors, conclut-elle d'une voix blanche, tu te charges de « réfléchir clairement » pour lui…

— Je sais à quel point ça peut sembler prétentieux, mais… oui. Et je voudrais ton aide pour convaincre Sheri d'adopter la meilleure attitude pour eux deux.

— Tu veux dire : *ce que tu crois* être la meilleure attitude pour eux.

— Je sais ce que tu penses, maugréa-t-il. Mais tu dois prendre en compte le fait que, dans cette histoire, nous sommes les adultes responsables.

D'un pas décidé, Alice gagna la porte et l'ouvrit largement.

— Tu perds ton temps. Je suis convaincue que Jeff et Sheri sont suffisamment adultes et responsables pour prendre les décisions qui les concernent.

— Tu ne dirais pas ça si tu étais mère.

Alice se figea sur place, surprise de la douleur que lui infligeait cet assaut inattendu. Elle avait rêvé d'être mère. Autrefois, grâce à cet homme qui lui reprochait à présent de ne pas l'être, son rêve avait même été sur le point de se réaliser.

Hayes la rejoignit et chercha à capter son regard. Dans ses yeux, elle lut l'embarras et le regret.

— Je suis désolé…, marmonna-t-il. Je ne voulais pas te blesser — ni à l'époque, ni maintenant.

Alice soutint son regard sans ciller. Elle n'avait que faire de ses excuses, et n'avait ni envie ni besoin de ses regrets. Elle se débrouillait très bien sans lui. Et s'il gardait l'espoir qu'elle lui pardonne, il lui faudrait bien comprendre que certaines blessures profondes ne peuvent jamais cicatriser tout à fait.

— Tu penses qu'il suffit d'être parent pour faire le bien de ses enfants ? s'entendit-elle rétorquer d'une voix grinçante. Va donc dire cela aux jeunes avec qui je travaille ici, et qui ont tant de mal à se remettre des dommages que leurs parents avisés et responsables ont infligé à leurs rêves et à leurs vies…

Hayes pinça les lèvres avec un certain mépris.

— Cela n'a rien à voir. Ce n'est pas de ce genre de parents dont je parlais.

26

Alice laissa échapper un rire grinçant.

— Oh ! j'oubliais… Toi, tu fais partie de ces parents irréprochables et infaillibles qui ne se trompent jamais.

Pour se calmer, Alice prit une profonde inspiration et expira longuement.

— Soyons clair ! reprit-elle d'une voix déterminée. Tes réactions négatives ont beaucoup à voir avec ce que tu penses de Sheri. Sans même la connaître, tu l'as jaugée, jugée et condamnée. Moi, je sais que c'est une fille intelligente, courageuse et pleine de ressources. Crois-moi, tu chanterais une tout autre chanson si elle était la fille d'un de tes chers associés…

D'une main tremblante, Alice indiqua la porte.

— A présent, dehors…

Le voyant ouvrir la bouche pour s'apprêter à lui répondre, Alice serra les poings et cria de plus belle :

— Dehors ! Nous n'avons plus rien à nous dire.

Le visage figé, Hayes alla chercher son manteau et s'exécuta. Mais avant d'avoir franchi le seuil de la pièce, il se tourna vers elle et la fusilla du regard.

— Tu es sûre que c'est moi qui me laisse aller à des idées préconçues ? demanda-t-il. Apparemment, je ne suis pas le seul à condamner les gens sur des préjugés. Essaye d'y penser, Alice… Je te contacterai de nouveau plus tard.

2.

Alice ne fit pas qu'essayer d'y penser. Durant les trois jours qui suivirent, il lui fut difficile de songer à autre chose qu'à sa confrontation avec Hayes. Et le temps d'hiver, se dit-elle en se campant ce matin-là devant la fenêtre de son bureau, ne risquait pas d'arranger les choses...

A voir le ciel de février bas et gris peser sur la ville, à entendre le vent furieux siffler contre les vitres, il était difficile d'imaginer que le printemps était proche. En plein mois d'août, quand la chaleur accablante lui ferait rêver à un bureau climatisé, sans doute verrait-elle les choses d'un autre œil. Mais en ce jour où ses pensées étaient à l'unisson de la météo, elle aurait souhaité un ciel bleu et un gros soleil pour lui remonter le moral...

Du bout des doigts, Alice effleura le carreau glacé. Hayes avait-il eu raison en l'accusant de laisser des idées préconçues altérer son jugement ? Ses doigts se crispèrent contre la vitre et elle serra le poing. Y repenser suffisait à soulever en elle une vague de colère dont la force la surprenait.

L'irruption dans sa vie de cet homme surgi d'un lointain passé avait suffi à la replonger dans un torrent d'émotions violentes, dont elle s'était crue libérée. Il l'avait à ce point fait sortir de ses gonds qu'elle avait été à deux doigts de s'en prendre à lui physiquement…

Les sourcils froncés, elle regarda deux résidents du Foyer braver la bise glaciale pour aller s'asseoir sur le banc qu'abritait un vieux chêne, arbre unique et vénérable planté au centre de la cour. Le garçon et la fille y prirent place de biais, l'un en face de l'autre, sans parler, les mains emmêlées et les yeux dans les yeux, manifestement amoureux.

Alice détourna le regard et retourna s'asseoir à son bureau. Depuis quand n'avait-elle pas comme eux été amoureuse au point de braver le froid pour avoir quelques instants d'intimité avec l'élu de son cœur ? La réponse s'imposait d'elle même : douze ans, douze années vides et interminables…

Fermant les yeux, elle s'adossa à son siège et massa ses tempes douloureuses. S'apitoyer sur son sort ne résoudrait rien, songea-t-elle avec découragement. Elle avait d'autres sujets de préoccupation plus urgents, comme de savoir ce qui pouvait motiver la fureur qui s'était emparée d'elle en présence de Hayes.

Elle se connaissait trop pour n'y voir que le résultat de l'attitude révoltante du père de Jeff envers Sheri. Et elle n'aimait pas y penser, car cela ne pouvait signifier qu'une chose — même s'il lui avait été commode d'y croire, elle n'en avait pas terminé avec Hayes Bradford et ce qu'il lui inspirait…

Alice laissa échapper un soupir d'impatience et se redressa sur son siège. Que lui prenait-il, à présent ? De toute évidence, il y avait bien longtemps qu'elle avait fait le deuil de leur relation. Elle n'avait plus besoin de lui, ne le désirait plus, et l'aimait encore moins… Tout ce qu'il lui inspirait dorénavant, c'était de la colère.

Oui, décida-t-elle, non sans un certain soulagement. C'était la colère et rien d'autre qui l'avait aveuglée quand il était venu lui rendre visite. Elle avait été à ce point dominée par elle qu'elle ne lui avait pas laissé une chance de s'expliquer ou d'exprimer son sentiment de père quant à cette grossesse non désirée. Elle l'avait d'emblée jugé et condamné sans lui laisser une chance de se défendre.

En somme, elle l'avait traité exactement comme elle l'accusait de traiter Sheri…

Sa décision prise, Alice saisit son sac sur le bureau et se dressa d'un bond sur ses jambes. Aucun rendez-vous n'était inscrit à son agenda avant 1 heure de l'après-midi, ce qui lui laissait amplement le temps de trouver Hayes et d'écouter cette fois ce qu'il avait à dire. Alors seulement, elle pourrait se permettre de se faire une opinion à son sujet.

Après avoir ouvert la porte à la volée, elle faillit entrer en collision avec Sheri qui se ruait dans la pièce.

— Sheri !

Alice agrippa le bras de la jeune fille pour leur permettre à toutes deux de retrouver leur équilibre.

— Je suis désolée…, reprit-elle. Je ne t'avais pas…

Les mots moururent sur ses lèvres quand elle vit l'angoisse qui déformait les traits de l'adolescente.

— Que se passe-t-il ? la pressa-t-elle. Dis-le-moi…

Sheri fondit aussitôt en larmes.

— Vous devez m'aider, Miss A. Je ne sais pas quoi faire… Il lui a dit. Il a appelé mon père et… il lui a dit que je… que je suis…

Incapable de poursuivre, elle couvrit son visage de ses mains et se lamenta :

— Qu'est-ce que je vais faire, maintenant ? Qu'est-ce que je vais faire ?

Gentiment, Alice passa un bras autour des épaules de la jeune fille et la conduisit jusqu'au divan affaissé sur lequel avaient été confessés tant de secrets difficiles et calmées tant de douleurs.

— Calme-toi…, murmura-t-elle. Respire à fond et essaie de me raconter ce qui s'est passé.

Sheri hocha la tête, s'efforça entre deux hoquets de faire ce qu'elle lui demandait et releva la tête pour croiser son regard.

— Il a appelé mon père pour lui dire que je suis enceinte, parvint-elle enfin à articuler calmement.

Ses poings se serrèrent sur ses genoux.

— J'aurais dû me douter qu'il ferait quelque chose comme ça ! s'écria-t-elle. Il ne m'aimait pas avant, mais je sais maintenant qu'il me déteste…

— Qui ça ? intervint Alice en fronçant les sourcils. De qui parles-tu ?

— Du père de Jeff !

Alice enregistra l'information et sentit la culpabilité l'assaillir. Elle aussi, plus encore que Sheri, aurait dû prévoir la réaction de Hayes. Si elle avait pris l'autre jour le temps de lui parler, de l'écouter, peut-être aurait-il réagi différemment.

Evitant le regard de l'adolescente, elle s'enquit :

— Comment ton père a-t-il réagi ?

— Très bien ! railla-t-elle d'une voix sarcastique. Il m'a traitée de salope… et puis aussi de… putain… avant de me mettre dehors à coups de pied dans les fesses. Comme il avait toujours dit qu'il le ferait.

— Est-ce qu'il a été violent avec toi ?

En dépit des efforts évidents consentis par Sheri pour se retenir, les larmes débordèrent de ses paupières closes.

— Sheri ? insista Alice. Ton père t'a-t-il frappée ?

— Juste une fois…, reconnut-elle dans un murmure. Mais j'ai réussi à me retourner assez vite pour qu'il ne puisse pas faire de mal au bébé.

Alice se figea sur place, incapable de parler, l'esprit en proie à la révolte et le souffle coupé par la colère. Les coups étaient une habitude chez Buddy Kane, le salaud que Sheri avait l'infortune de devoir considérer comme son père…

Au désespoir, Sheri s'agrippa aux mains d'Alice.

— Je n'ai nulle part où aller…, se lamenta-t-elle. Nulle part…

De gros sanglots l'empêchèrent de poursuivre. Elle dut prendre le temps de se calmer pour conclure :

— Qu'est-ce que je vais faire, Miss A. ? Il faut m'aider…

Alice l'attira pour la consoler au creux de ses bras. Grâce à son réseau de relations, elle pourrait sans doute trouver dans la journée un logement provisoire pour sa protégée. Un endroit où l'on s'occuperait d'elle, où elle serait à l'abri des dangers et des tentations de la rue. Mais tout de suite, elle sut que cette solution ne la satisferait pas.

Alice savait que Sheri avait avant tout besoin d'elle. Un toit au-dessus de sa tête et trois repas par jour ne suffiraient pas à résoudre ses problèmes. Il lui fallait une présence rassurante, une écoute attentive, des conseils avisés. Il lui fallait une amie.

Soulagée d'avoir trouvé ce qui lui restait à faire, Alice sourit et caressa les cheveux de la jeune fille. Il lui faudrait en discuter avec Dennis, le directeur du Foyer, et cela n'était pas pour lui plaire. Mais elle le connaissait suffisamment pour savoir qu'après les objections d'usage il finirait par donner son accord. Et si cette brute épaisse de Buddy Kane se risquait à lui chercher noise, elle lui collerait sur le dos une plainte pour mauvais traitements avant qu'il ait pu dire ouf !

Quant à la distance professionnelle à préserver en toute circonstance, elle avait toujours considéré qu'elle ne pouvait s'opposer au simple devoir d'humanité.

— Tu vas venir habiter chez moi, dit-elle d'une voix assurée. Je vis seule et j'ai une chambre d'amis.

Sheri redressa la tête aussitôt, ses yeux agrandis par la surprise.

— Vous feriez ça… pour moi ?

Du bout des doigts, Alice remit de l'ordre dans les cheveux qui avaient glissé sur le front de l'adolescente.

— Bien sûr ! répondit-elle. Comment peux-tu en douter ?

— Mais…

— Il n'y a pas de mais.

Décidée à prendre le taureau par les cornes, Alice se redressa et saisit son sac sur le sol.

— Je dois d'abord obtenir la permission de Dennis, précisa-t-elle. Et celle de ton père.

A ces mots, Sheri sursauta.

— Mais, Miss A., il va…

— Ne t'inquiète de rien, la rassura-t-elle. Je me charge de lui. Tu as tes affaires avec toi ?

Sheri hocha tristement la tête.

— Il les a jetées dans la rue par la fenêtre. Tous les voisins étaient là pour profiter du spectacle… Il y en avait même qui riaient !

— Bravo, les voisins ! Tu es venue jusqu'ici à pied ?

— J'ai fait du stop.

Alice secoua la tête d'un air désapprobateur.

— Nous en avons déjà parlé, Sheri… C'est dangereux. Tant que tu habiteras chez moi, tu dois me promettre de m'appeler si tu as besoin d'aller quelque part. Plus de stop ! Promis ?

— D'accord, mais... Je ne voudrais pas vous causer de dérangement, Miss A. Je ne voudrais pas être une charge pour vous...

Alice la rassura d'un sourire et passa la bandoulière de son sac sur son épaule.

— Ne t'inquiète pas de cela non plus. Tu ne peux pas être une charge pour moi. Allons-y maintenant. Je n'ai pas de rendez-vous avant une heure. Cela nous laisse le temps de t'installer chez moi.

Et une fois qu'elle en aurait terminé avec Dennis et Buddy Kane, songea-t-elle, il lui faudrait encore aller se frotter à Hayes Bradford. Des trois, il ne lui était pas difficile d'imaginer qui serait le plus dur à apprivoiser...

Bien plus tard dans l'après-midi, Alice vint se garer devant la maison de Hayes. Impressionnante et cossue, la demeure d'un étage occupait un vaste terrain arboré cerné d'un muret de brique, dans le quartier le plus chic de Mandeville, ville satellite de La Nouvelle-Orléans, sur l'autre rive du lac Pontchartrain.

Aux yeux d'Alice, c'était la maison idéale pour un avocat de renom. Au premier regard, elle dénotait la fortune, l'élévation sociale, ainsi que l'inimitable et naturelle élégance qui en découle. Elle ne s'était jamais tout à fait sentie à son aise entre ces murs. Peut-être parce que c'était la femme décédée de Hayes qui l'avait choisie et décorée, ou plus certainement parce qu'elle était aux antipodes de ses propres goûts.

Elle préférait de beaucoup son petit cottage restauré et son voisinage mélangé dans la rue populaire où elle habitait. Ici, tout le monde était identique — bien éduqué, bien nourri, blanc, protestant et républicain. Chez elle, les voisins étaient aussi variés et colorés que leurs foyers, ce qui mettait dans le quartier nettement plus de vie et d'énergie...

Ouvrant sa portière, Alice descendit de son véhicule et verrouilla soigneusement derrière elle, même si une telle précaution semblait superflue dans cette rue. Elle avait beau feindre l'indifférence, elle ne pouvait s'empêcher de se sentir nerveuse et sur ses gardes, sans trop savoir pourquoi.

Le pire qui pouvait lui arriver, après tout, c'était que Hayes la mette dehors. Et comme c'était lui qui avait été à l'initiative de leurs retrouvailles, une telle hypothèse était peu probable. Dans ce cas, conclut-elle pour elle-même, pourquoi se sentir si nerveuse ? Elle se fichait pas mal de ce qu'il pouvait penser d'elle. Elle n'était là que pour rendre service à Sheri. Tout ce qu'elle avait à faire, c'était lui dire son fait et repartir...

Alors qu'elle se trouvait encore sur le trottoir, la porte principale s'ouvrit à la volée, livrant le passage à un garçon manifestement en colère. Réalisant que ce devait être Jeff, Alice retint son souffle et ne put s'empêcher de le dévorer des yeux.

L'adorable bambin qu'elle avait connu s'était transformé avec le temps en un séduisant jeune homme, grand et élancé, doté du même visage au profil d'aigle que son père, du même menton volontaire et des mêmes cheveux châtain clair parcourus de reflets dorés. En fait, la ressemblance entre le père et le fils était saisissante...

Tandis que Jeff dévalait les marches, Hayes apparut en haut du perron.

— Jeff ! cria-t-il. Je n'ai pas fini de te parler.

Les poings serrés, le jeune homme fit volte-face et cria à son tour :

— Tu ne me parlais pas ! Tu me faisais la morale, comme d'habitude... J'en ai assez de tes ordres et de tes reproches. Je ne te laisserai plus me dire ce que je dois penser et comment je dois vivre !

— Je suis ton père ! rétorqua Hayes sur le même ton. Je sais ce qui est bon pour toi.

— Tu veux vraiment me rendre service ? Alors oublie-moi !

D'un pas rageur, Jeff s'engagea dans l'allée, apparemment bien décidé à ignorer les imprécations qui fusaient dans son dos :

— Je t'interdis de te marier avec cette fille, tu m'entends ? Je te l'interdis !

Jeff laissa éclater un rire grinçant et se retourna d'un bloc.

— Si tu t'entendais parler ! Tu n'es pas un père, tu es un dictateur ! Ce que tu oublies c'est que j'ai dix-huit ans et que je suis assez grand pour gérer tout seul ma vie... Et si je veux épouser Sheri, je le ferai !

— Jeff ! hurla Hayes, hors de lui. Reviens ici tout de suite...

Mais loin de lui obéir, son fils se mit à courir vers le garage. Un moment plus tard, le bruit d'un moteur se fit entendre, immédiatement suivi de crissements de pneus sur l'asphalte.

Alice reporta son attention sur Hayes, dont les traits portaient à cet instant la marque de l'inquiétude et du désespoir. Quant à elle, elle se trouvait écartelée entre deux impulsions contradictoires.

Si elle abordait Hayes maintenant, il risquait de reporter sur elle sa hargne et sa frustration. En tout cas, il y avait peu de chances pour qu'il se montre réceptif à ses suggestions qu'il prendrait certainement comme autant de critiques implicites. D'un point de vue strictement professionnel, il valait mieux qu'elle retourne à sa voiture et renonce à sa visite.

Mais Alice n'était pas du genre à se laisser guider par la raison, et son cœur lui disait que Hayes avait besoin d'elle. En cet instant, un avis impartial lui serait utile, de même qu'une oreille compatissante et attentive. Sa relation avec son fils était en train de lui échapper, et elle aurait parié tous ses diplômes qu'il s'en rendait compte.

Jeff, lui aussi, aurait gagné à l'écouter. Alice songea au petit garçon câlin qui était venu tant de fois chercher refuge entre ses bras et sentit son cœur se serrer. Elle détestait le voir souffrir ainsi. Elle détestait les voir, lui et son père, se quereller comme des chiffonniers. Si une chose lui paraissait évidente, c'était que dans la situation présente ils avaient besoin l'un de l'autre.

Prenant une profonde inspiration, Alice s'engagea dans l'allée bordée de massifs fleuris. Utile ou non, acceptée ou pas, elle était déterminée à offrir son aide, son expérience des conflits. Ainsi, à défaut d'aider le père et le fils à y voir plus clair, pourrait-elle au moins se sentir en paix avec elle-même.

Hayes restait figé au bord du perron, les yeux rivés sur le coin de la rue où Jeff avait disparu quelques minutes plus tôt. Tandis qu'elle s'approchait, il se tourna vers elle et le mécontentement qu'elle lut dans son regard faillit la faire flancher. Puis, se rappelant qu'elle n'était pas là pour elle, elle prit une profonde inspiration afin de se donner du courage et stoppa au bord de la première marche.

Le visage levé vers lui, elle lui adressa un sourire timide.

— Bonjour, Hayes...

— Alice…, maugréa-t-il. Je suppose que tu as tout entendu ?

— Oui, reconnut-elle. Mais je ne voulais pas me montrer indiscrète.

— C'est pourtant ce que tu as fait.

Comme elle ne lui répondait pas, Hayes revint à sa contemplation de la rue déserte.

— Ainsi, reprit-il amèrement, tu connais à présent l'affreuse vérité — mon fils me déteste.

— En fait, répondit-elle d'une voix douce, je dirais plutôt qu'il t'aime beaucoup, et que c'est pour cela qu'il est en colère.

Sans la regarder, Hayes haussa les épaules.

— Tu choisis mal ton moment… Je te rappellerai.

Même s'il tentait de faire bonne figure, il ne pouvait tout à fait lui cacher sa douleur et la détresse dans laquelle il se débattait. Ce qui devait renforcer encore sa colère… Hayes avait toujours considéré que manifester ses sentiments était un signe de faiblesse.

Il aurait sûrement préféré qu'elle le laisse seul, pour s'en aller lécher ses plaies comme un vieil ours et reprendre le contrôle de ses émotions. Mais Alice n'était pas décidée à lui donner satisfaction, et à le laisser remettre son armure en place sans réagir.

— Je me souviens de Jeff quand il était petit garçon, murmura-t-elle d'une voix lointaine. Il était si gentil, si câlin… Il adorait que je le berce tout contre moi. Tu te souviens ?

Les lèvres de Hayes se pincèrent. Evitant toujours son regard, il se garda bien de lui répondre. Mais à ce petit signe d'impatience, Alice sut qu'il se rappelait, et que cela lui faisait mal, très mal.

Par un effort de volonté, elle parvint à rire avec ce qui pouvait ressembler à de l'insouciance.

— A dire vrai, j'aimais cela autant que lui… Peut-être même plus ! Nous avions tous les deux tellement besoin d'amour…

— Y a-t-il quelque message caché à mon intention dans ce bavardage nostalgique ? dit Hayes d'une voix tranchante. Ou dois-je comprendre que tu es décidée à me faire la conversation ?

Sans se laisser impressionner par son cynisme, Alice gravit les marches du perron et vint se planter devant lui, afin qu'il ne puisse plus éviter son regard.

— Même s'il a grandi, il est toujours au fond de lui le même petit garçon, Hayes… Comme nous tous, il a besoin d'amour, d'affection.

— Ce qui veut dire que je ne lui en donne pas.

— Ce qui veut dire que tu t'y prends mal.

Le vent souffla une mèche dans ses yeux, qu'Alice chassa d'un geste agacé avant de poursuivre :

— Bon sang, Hayes ! Il a dix-huit ans… Il est trop âgé pour se laisser encore impressionner par les ordres et les interdits. Il a besoin qu'on l'écoute et qu'on le comprenne. Vous avez besoin tous les deux de vous calmer, de vous asseoir et de parler d'homme à homme, d'égal à égal, d'ami à ami…

Hayes s'agrippa si fort à la rambarde que les jointures de ses doigts devinrent blanches.

— C'est là où notre approche diffère, Alice. Ce n'est pas encore un homme. Il sort à peine de l'adolescence, et je ne suis pas sa mère Isabel mais son père.

— C'est pour cela que tu le repousses au moment où il a le plus besoin de toi ?

Hayes laissa fuser vers le ciel un rire moqueur.

— Tu surprends deux minutes d'une dispute entre nous, railla-t-il, et te voilà soudain experte quant aux failles de notre relation… Oh, j'oubliais ! Tu es une professionnelle.

— Exactement ! dit-elle en lui agrippant le bras pour l'empêcher de se détourner. Et la professionnelle que je suis peut te dire que si tu tiens à ton fils, il va falloir apprendre à l'écouter. S'il n'est pas trop tard…

Les yeux de Hayes se rétrécirent sous l'effet de la fureur et il lâcha d'une voix cinglante :

— Tu n'as toujours pas renoncé à créer de toutes pièces la petite famille idéale, si je comprends bien…

Comme sous l'effet d'une décharge électrique, Alice retira brusquement sa main qui s'était attardée sur le bras de Hayes.

— C'est mesquin…, protesta-t-elle. Vraiment mesquin. Mais je ne suis pas venue jusqu'ici pour me disputer avec toi. Je voulais te parler de Jeff et Sheri, pour que nous puissions essayer de les aider.

— Les aider en tentant de me convaincre que mon fils doit épouser cette fille ? Jamais !

— Est-ce ce que Jeff veut faire, lui ? Est-ce qu'il veut épouser Sheri ?

Hayes émit un claquement de langue agacé.

— Il ne sait pas ce qu'il veut ! Il est trop bouleversé et confus pour le savoir. A dire vrai, je ne sais même pas s'ils en ont parlé tous les deux. Je voulais en discuter avec lui avant.

— Et tu n'as rien trouvé de mieux que de lui interdire de l'épouser…

— Oui !

Agacé, Hayes rejoignit l'autre extrémité du perron et contempla d'un air morose le jardin dénudé par le long hiver.

— Se marier si jeune ruinerait la vie de Jeff, reprit-il. Et même leur vie à tous les deux...

— Est-ce pour cette raison que tu as appelé le père de Sheri ?

Surpris, Hayes tressaillit et se tourna vers elle.

— Comment as-tu...

— Sheri est venue me le dire, l'interrompit Alice. Elle était presque hystérique. Son père l'a jetée dehors.

Proférant un juron à mi-voix, Hayes détourna les yeux.

— J'ai pensé qu'il valait mieux discuter directement avec ses parents, marmonna-t-il. Afin de parvenir entre adultes à une solution...

— ... satisfaisante pour tout le monde ! compléta Alice à sa place.

Furieuse, elle traversa le perron et vint se planter devant lui.

— Et qu'avais-tu prévu d'autre ? D'inviter Buddy Kane au club pour en parler autour d'un verre entre gens de bonne compagnie ? Tu ne connais pas la situation familiale de Sheri ! Son père n'a rien d'un enfant de chœur. Il ne réfléchit pas avant de réagir, et il réagit comme la brute épaisse qu'il a toujours été.

— Je ne voulais pas causer de tort à Sheri, maugréa Hayes en détournant le regard. Et je ne savais pas qu'elle n'avait pas annoncé la nouvelle à ses parents.

— Cela n'est pas une excuse ! s'emporta Alice. Tu aurais pu te poser la question avant ou deviner la situation toi-même. Pourquoi à ton avis Sheri fréquente-t-elle le Foyer de l'Espoir, sinon à cause de problèmes familiaux ?

— Attends une seconde !

Hayes se dressait devant elle de toute sa masse, si impressionnant qu'elle devait lever la tête vers lui.

— C'est trop facile de me faire porter le chapeau…, reprit-il avec véhémence. Si tu avais bien voulu me parler l'autre jour, cela ne serait pas arrivé. Je t'aurais demandé ton avis, et j'en aurais tenu compte. Seulement, tu étais trop en colère contre moi pour accepter de m'écouter…

La flèche décochée par Hayes atteignit sa cible. Alice aurait voulu réfuter l'accusation, mais cela lui était impossible. En proie à un intense sentiment de culpabilité, elle glissa en hâte ses mains tremblantes au fond de ses poches.

Son trouble n'échappa en rien à Hayes, qui lui lança un sourire caustique. Maladroitement, Alice tenta de contre-attaquer.

— On botte en touche, maître ? Il est vrai que les avocats sont spécialistes en la matière.

Hayes soutint son regard et dit d'une voix égale :

— Je pense que tu es trop dominée par tes propres émotions pour déterminer la meilleure conduite à tenir dans cette affaire.

— Ridicule ! s'exclama-t-elle en haussant les épaules. Comme tu l'as toi-même fait remarquer tout à l'heure, je suis une professionnelle et je n'ai pas l'habitude de laisser mes sentiments l'emporter sur ma raison.

— J'étais d'accord pour t'épouser, Alice. Même si j'étais convaincu que ce n'était une bonne chose ni pour toi, ni pour moi.

Prise par surprise, Alice recula. Elle n'aurait pas dû pourtant se laisser désarçonner. Hayes avait toujours été d'une brutale franchise, d'une froide honnêteté. Il lui fallut néanmoins ravaler ses larmes et lutter contre l'envie de se précipiter vers lui pour lui bourrer la poitrine de coups de poing avant de pouvoir répliquer :

— Bien sûr ! Tu as toujours été tellement correct et bien élevé, prêt à assumer tes responsabilités… Ce n'est que lorsque j'ai perdu notre enfant que tu as changé d'avis.

Hayes esquissa vers elle un geste de la main et parut se raviser.

— Je n'ai jamais voulu te faire de peine, marmonna-t-il. Tu aurais souffert bien plus si nous étions restés ensemble. A présent, tu dois le comprendre…

— A présent que je suis adulte et avisée ?

A sa grande horreur, Alice s'aperçut que malgré ses efforts pour les retenir, les larmes commençaient à rouler sur ses joues.

— Et Jeff ? reprit-elle sur un ton accusateur. T'es-tu soucié de savoir quel effet cette séparation aurait sur lui ? Il était heureux près de moi, Hayes…

Pendant un long moment, il ne dit rien, se contenta de la fixer droit dans les yeux. Puis, haussant les épaules, il plongea ses mains au fond de ses poches.

— Je sais qu'il était heureux, admit-il d'une voix sourde. Je n'ai jamais compris comment il avait pu si vite s'attacher à toi.

— Est-ce pour cette raison que tu as mis fin à notre relation ? Parce que ton fils avait appris à m'aimer ? Parce qu'il avait autant besoin de moi que de toi ?

L'expression d'une grande souffrance passa sur le visage de Hayes. Pour masquer son trouble, il revint à la contemplation du jardin élégamment tracé.

— Je vois que tu as de moi une aussi haute opinion que mon fils… Quoi que tu en penses, je m'en suis voulu de lui infliger cette souffrance. Voir à quel point tu lui as manqué m'a brisé le cœur.

Alice sentit ces paroles se ficher en elle comme des poignards. A l'entendre, il était clair que le chagrin de son fils était la seule chose qui lui avait brisé le cœur...

— Je crois qu'il ne m'a jamais pardonné, conclut-il en tournant les talons pour lui faire face. Toi non plus, apparemment...

La bouche sèche, le cœur battant à tout rompre, elle s'efforça de soutenir son regard.

— Non, murmura-t-elle d'une voix blanche. Je ne t'ai jamais pardonné.

Et sans rien ajouter, elle fit demi-tour et descendit les marches du perron pour regagner son véhicule.

La poitrine oppressée et douloureuse, Hayes vit Alice s'enfuir loin de lui d'un pas pressé. Il eut envie de la rappeler, fut si près de le faire que son nom se forma sur sa langue, avant de mourir sur ses lèvres. Qu'auraient-ils eu d'autre à se dire, tous les deux ? Ne l'avait-il pas déjà suffisamment fait souffrir ?

Au souvenir de son visage assombri par la peine, ses poings se crispèrent sur la rambarde. Ses yeux emplis de larmes, ses lèvres tremblantes et crispées, l'emplissaient de honte et de regrets. Ses questions accusatrices continuaient à résonner à ses oreilles. *Est-ce pour cette raison que tu as mis fin à notre relation ? Parce que ton fils avait appris à m'aimer ? Parce qu'il avait autant besoin de moi que de toi ?*

Hayes jura entre ses dents. Nul doute, songea-t-il, qu'elle ne voyait en lui qu'un salaud au cœur de pierre, tout comme le faisait Jeff. Mais il était trop honnête avec lui-même pour ne pas reconnaître la part de vérité que recélaient ces paroles. Inconsciemment, n'était-ce pas ce qu'il avait voulu faire en rompant avec Alice ? Les tenir à distance, elle et le monde entier, de lui et de son fils...

Pourtant, elle n'avait pas hésité à revenir vers lui, même s'il avait décoché sur elle toutes les flèches verbales à sa disposition. Alice avait toujours eu cette faculté de s'imposer à lui, malgré lui. Il l'admirait pour son courage et sa détermination. Hélas, les sentiments qu'elle lui inspirait ne se limitaient pas à cela. Aujourd'hui comme hier, elle semblait avoir le don de réveiller ses émotions — et ses sens...

Hayes inspira à fond pour tenter de recouvrer son calme. Si Alice avait bien changé, son parfum était resté le même. A la fois exotique et pimenté, troublant et généreux, il avait toujours sur lui les mêmes effets. Il lui fallait bien admettre que la mystérieuse alchimie qui avait opéré entre eux douze ans auparavant n'avait pas disparu avec le temps. Du moins, en ce qui le concernait...

Ainsi qu'elle lui était apparue sur ce perron, même au plus fort de leur dispute, même s'il savait que cela n'aurait été bon ni pour elle, ni pour lui, il avait dû résister à l'envie de la prendre dans ses bras, de la serrer contre lui, de lui caresser le visage pour sécher ses pleurs.

Un gémissement de dépit lui échappa. La leçon n'avait-elle pas été suffisante, douze ans auparavant ? En cédant à l'irrésistible attrait qui le poussait vers Alice, il avait failli ruiner sa vie, la sienne, et pire encore celle de Jeff...

Le cœur serré en songeant à son fils et aux mots très durs qu'ils venaient d'échanger, Hayes pénétra dans la maison. Sans s'arrêter, il la traversa pour regagner son bureau, qui surplombait le parcours de golf du country-club. Les mâchoires crispées, il contempla sans la voir l'impeccable étendue d'herbe, luttant contre les larmes qui montaient à ses paupières.

L'idée qu'il était en train de perdre son fils lui était insupportable. De jour en jour, il voyait leur relation se détériorer mais ne savait pas comment s'y prendre pour y remédier. Déjà, il avait fait de son mieux, s'était arrangé pour passer avec Jeff le plus de temps possible. En planifiant des moments réguliers de rencontre et de partage avec lui, il avait espéré regagner la confiance et la complicité qui les avait autrefois unis. Hélas, il était bien forcé de constater que c'était l'inverse qui s'était produit…

En contrebas, sur le green, Hayes vit un golfeur s'approcher du troisième trou et se mettre au départ. Avec trop de précipitation, l'homme amorça son swing et frappa la balle avec beaucoup plus de maladresse que de finesse. Mécontent de son échec, le maladroit réessaya encore et encore, convaincu sans doute qu'à force d'imposer sa puissance de frappe à ces malheureuses balles, elles finiraient par se plier à sa volonté.

Agacé par ce spectacle, Hayes songea avec une grimace qu'il aurait pu en tirer quelque enseignement. S'il n'y prenait garde, à l'image de cet homme, il passerait sa vie à manquer ses objectifs personnels sans rien apprendre de ses échecs… Le plus rageant était qu'il était parfaitement capable dans une salle de tribunal de convaincre un juge et de rallier un jury à sa cause. C'était pour lui aussi facile qu'un jeu d'enfant, un jeu auquel il perdait rarement. Mais dès qu'il s'agissait de relations personnelles et de sentiments, il était perdu. Ou plus exactement, il se *sentait* perdu.

Des réminiscences de son mariage s'imposèrent à lui, avec la soudaineté imparable d'un éclair. Lorsqu'il avait rencontré celle qui allait devenir sa femme, elle était encore une étudiante en droit enjouée, ambitieuse et extravertie. Tous deux venaient de milieux similaires, semblaient avoir les mêmes buts dans l'existence, paraissaient faits l'un pour l'autre.

Pourtant, leur union avait été un véritable désastre. Rapidement, sa femme lui était apparue d'une émotivité qui confinait à l'instabilité émotionnelle. Elle, de son côté, lui faisait reproche de sa froideur, de son manque d'investissement personnel dans leur relation. De lui, elle avait attendu quelque chose qu'il s'était senti incapable de lui donner.

Aux yeux de sa femme, il avait toujours manqué à leur couple quelque chose d'essentiel. Pourtant, il avait consenti à de gros efforts pour que leur mariage tienne et pour la rendre heureuse. Mais manifestement, cela n'avait pas suffi... Les moments de déprime de son épouse étaient devenus avec le temps des crises de dépression, que la naissance de Jeff avait aggravées.

Jusqu'à ce qu'un jour, au bureau, il reçoive un appel de la police. Son épouse avait percuté avec sa voiture le parapet d'un pont avant d'aller s'écraser vingt mètres en contrebas. Officiellement, l'enquête avait conclu à un accident, même si l'autopsie avait révélé que la jeune femme avait absorbé une énorme quantité de pilules de somnifère avant de prendre le volant...

Il suffisait à Hayes d'y penser pour revivre le choc émotionnel provoqué par la mort de sa femme, pour être de nouveau assailli par la culpabilité. Mais de son point de vue, sa douleur n'était rien comparée à celle de son fils. C'est Jeff qui avait véritablement souffert, Jeff qui avait été blessé.

Depuis, il s'était juré de ne plus jamais l'exposer au danger d'avoir à revivre une telle épreuve. Et pourtant, il y avait eu Alice. Et même s'il avait fait en sorte de mettre un terme à leur relation avant qu'il ne soit trop tard, Jeff avait vécu sa rupture avec elle comme un nouvel abandon, une nouvelle trahison — une raison supplémentaire d'en vouloir à son père.

Si tu tiens à ton fils, il va falloir apprendre à l'écouter. S'il n'est pas trop tard... L'implacable vérité des mots d'Alice le frappa de nouveau de plein fouet. Hayes contemplait toujours sans le voir le parcours de golf. Le golfeur maladroit, lassé de ses échecs, avait renoncé et s'en était allé. Et s'il était déjà trop tard pour réparer les dégâts, se demanda-t-il avec angoisse, comment le vivrait-il ? Et s'il devait le perdre, comme y survivrait-il ?

Incapable d'affronter les réponses possibles à ces questions, Hayes se détourna de la fenêtre et s'installa à son bureau. Quelques dossiers urgents l'y attendaient qui l'aideraient à ne plus y penser.

3.

Sheri s'éveilla en sursaut. Désorientée, elle s'assit sur le lit et ne reconnut pas tout d'abord la chambre douillette, meublée à l'ancienne, dans laquelle elle se trouvait. Puis, apercevant le livre de géométrie tombé sur le sol, elle comprit qu'elle s'était endormie dans la chambre d'amis de Miss A. en révisant son contrôle du lendemain.

Rassurée, Sheri ramassa le manuel et bâilla en se laissant retomber contre les oreillers. Elle s'était sentie si fatiguée ces derniers temps que rester éveillée en cours — surtout en maths et sciences — était presque devenu mission impossible. Le docteur l'avait rassurée en lui disant que cela passerait, tout comme la nausée qui lui soulevait l'estomac régulièrement.

Calée contre l'empilement confortable de coussins et d'oreillers, Sheri laissa ses yeux s'attarder autour d'elle. Elle aimait vraiment la maison de Miss A., et plus particulièrement la chambre qu'elle lui avait si généreusement offerte. Tout y était net, propre, bien rangé et sentait bon. On n'y trouvait rien d'extravagant ni de luxueux, mais tout y était agréable et confortable. A l'image de Miss A., en fait...

Sheri sourit rêveusement et caressa du bout des doigts la courtepointe damassée sur laquelle elle était allongée.

Miss A. lui avait expliqué que le couvre-lit avait été entièrement fait à la main, cent ans plus tôt, et que le motif représentait deux anneaux de mariage entrelacés l'un dans l'autre. C'était bête, elle le savait, mais elle ne pouvait s'empêcher d'y voir un signe encourageant, comme si tout allait encore s'arranger pour elle.

Tirée de ses pensées par un bruit étouffé, Sheri tourna les yeux vers le rectangle noir de la fenêtre. Juste au moment où elle s'apprêtait à détourner le regard, s'imaginant avoir rêvé, un visage s'y encadra. Un cri se bloqua dans sa gorge, sa main se posa sur son cœur emballé, puis elle reconnut Jeff et se leva en hâte pour aller lui ouvrir.

— Tu m'as fait peur ! chuchota-t-elle en soulevant la fenêtre à guillotine avec le maximum de discrétion possible. Qu'est-ce que tu fais là ?

— J'essaie de ne pas me rompre le cou...

Sheri se pencha et vit qu'il s'était hissé en équilibre précaire au sommet d'un gros pot de fleurs renversé sur une chaise de jardin branlante pour parvenir jusqu'à elle. Régulièrement, il lui fallait rétablir son équilibre avec ses bras pour ne pas tomber.

— Je vois ça ! s'amusa-t-elle avec un petit rire. Mais ça ne me dit pas pourquoi tu es là...

— Je peux entrer ?

Le sourire de Sheri se fana et elle scruta son visage.

— Quelque chose ne va pas ? demanda-t-elle, inquiète.

Malgré l'inconfort de sa position, Jeff parvint à lui prendre les mains pour les porter à ses lèvres.

— J'avais besoin de te voir, expliqua-t-il d'un ton pressant. Besoin d'être avec toi... S'il te plaît, laisse-moi entrer.

Incertaine, Sheri lança un coup d'œil inquiet par-dessus son épaule. Un rai de lumière passait sous la porte et des bribes de musique parvenaient jusqu'à elle.

— Je ne sais pas si je dois…, murmura-t-elle en se mordant la lèvre. Miss A. ne dort pas et…

— Je te promets de très bien me tenir ! murmura Jeff avec ce sourire irrésistible qui creusait des fossettes au coin de ses lèvres. Aussi tranquille et silencieux qu'une souris. Parole de scout !

Sheri ne pouvait rien lui refuser et il le savait. Elle le devinait à la lueur espiègle qui brillait au fond de ses yeux. Vaincue, elle ouvrit grand la fenêtre et l'aida à pénétrer dans la pièce. Dès qu'il fut sur pieds, il l'attira dans ses bras.

— Sheri…, susurra-t-il au creux de son oreille. Je t'aime tant !

Saisie par un frisson, elle se nicha frileusement contre sa poitrine. L'air glacé qui s'accrochait encore à ses vêtements lui donnait la chair de poule sous sa fine chemise de nuit.

— Je t'aime moi aussi, Jeff. Tellement que ça me fait peur…

S'écartant légèrement, il serra son visage entre ses mains.

— Tu ne dois pas avoir peur, mon bébé. Tout ira bien pour nous. Je le sais.

Sheri ferma les yeux et lui offrit ses lèvres en une tendre invite à laquelle il ne put résister. Ils s'embrassèrent longuement, incapables l'un et l'autre de se rassasier de ce baiser.

Avec un soupir de frustration, Jeff s'arracha enfin à ses lèvres et laissa dériver les siennes jusque dans ses cheveux.

— J'ai tellement envie de toi…, confessa-t-il dans un souffle. Tellement besoin de toi que ça me fait mal.

Tandis que ses mains descendaient le long de son dos pour aller se refermer de manière possessive sur ses fesses, son amie s'arc-bouta et étouffa un gémissement…

— Je sais…, gémit-elle. J'ai envie de toi moi aussi.

— Mais nous ne pouvons pas…, reprit-il d'une voix tremblant de désir. Pas ici… Pas maintenant.

— Non, admit-elle à regret. Il ne faut pas.

Se montrer raisonnable lui était difficile. Si elle s'était écoutée, elle l'aurait entraîné vers le lit, assoiffée qu'elle était de sa présence et de ses caresses. Se livrer à lui, se réfugier entre ses bras, lui paraissait l'unique moyen d'oublier tout le reste et de se sentir en sécurité, ne fût-ce que pour quelques instants.

De longues minutes, ils restèrent debout en silence, serrés l'un contre l'autre. Quand Jeff rompit leur étreinte et qu'il plongea ses yeux dans les siens, elle vit avec un pincement au cœur qu'ils étaient embués.

— Sheri…, poursuivit-il d'une voix bouleversée. Je ne sais pas ce que je deviendrais si je devais te perdre.

— Moi, je sais que je ne le supporterais pas ! Je sais que j'en mourrais…

Un grognement inarticulé s'échappa des lèvres pâles de Jeff, qui posa son front contre le sien et avoua :

— Je me suis disputé avec mon père. Je me suis sauvé de la maison et n'y suis pas retourné.

Un frisson d'appréhension parcourut l'échine de Sheri.

— Vous vous êtes disputés à cause de moi, n'est-ce pas ? Et à cause du bébé…

Voyant qu'il avait du mal à soutenir son regard, elle devina sa réponse avant même qu'il ne maugrée :

— En partie seulement.

— Dis-moi la vérité, Jeff !

— Viens…

Il la prit par la main et l'entraîna vers le lit. Ils y grimpèrent tous deux et s'y nichèrent l'un contre l'autre dans les oreillers. Au bout d'un moment, Jeff lâcha un long soupir désolé et lança :

— Ce salaud a osé m'interdire… de te voir.

Sheri en eut le souffle coupé.

— Oh, Jeff !

Aussitôt, il resserra l'emprise de son bras autour de sa taille. L'attirant contre lui, il lui caressa les cheveux.

— Ne t'en fais pas…, la tranquillisa-t-il. Il ne pourra jamais me séparer de toi. Quoi qu'il fasse…

Des sanglots s'accumulaient dans la gorge de Sheri, qu'elle avait bien du mal à réfréner.

— Pourquoi… Pourquoi me déteste-t-il à ce point ? Qu'est-ce que je lui ai fait ?

Jeff embrassa tendrement ses cheveux.

— Ce n'est pas à cause de toi, mon bébé… C'est de moi qu'il s'agit. Il est persuadé que je suis encore un petit garçon. En tout cas, il me traite comme si j'en étais un. Comme si je n'étais pas capable de penser par moi-même, de prendre les décisions qui me concernent sans me tromper.

Jeff frotta doucement sa joue contre ses cheveux. Sheri poussa un soupir de contentement.

— Il a déjà mon avenir tout tracé dans sa tête…, reprit-il. C'est à se demander s'il ne veut pas vivre ma vie à ma place ! Et que fait-il de ce que je veux, de ce que je ressens, de ce dont j'ai envie ?

Frappée par la détresse qui transparaissait dans ces paroles, Sheri leva la main pour lui caresser la joue, heureuse de trouver sous ses doigts le chaume de sa barbe naissante.

— Au moins, dit-elle, il s'intéresse à toi. Au moins, tu peux être sûr qu'il t'aime…

— Tu crois ? demanda-t-il sur un ton caustique. Moi, je n'en suis pas si sûr…

Sheri secoua la tête et s'éclaircit la voix.

— Il veut le meilleur avenir pour son fils, reprit-elle. Le problème, c'est qu'il est persuadé qu'une fille comme moi n'en fait pas partie, et encore moins un bébé…

Jeff se redressa pour placer ses mains en coupe autour du visage de Sheri.

— Alors il se trompe ! lança-t-il avec conviction. Tu m'entends ? Je sais que te rencontrer est ce qui pouvait m'arriver de mieux. Quoi qu'il en pense, je le sais ! Et je suis en âge à présent de ne plus le laisser me dicter ma conduite.

Sheri prit une profonde inspiration avant de laisser s'exprimer la crainte qui l'habitait.

— Et tes études ? Tu es déjà inscrit à l'université de Georgetown. Et sans l'aide matérielle de ton père…

Trop angoissée pour conclure, Sheri laissa sa phrase mourir sur ses lèvres. Une nouvelle nausée lui soulevait l'estomac, dont son état n'était sans doute pas seul responsable. Jamais leur situation ne lui avait paru aussi précaire qu'en cet instant.

— Qu'allons-nous faire, Jeff ? reprit-elle d'une voix sourde. Tu sais… pour ce qui est du bébé.

Troublé, il lui lâcha les mains et baissa les yeux.

— Je ne sais pas encore.

— Je vois…

Elle fut surprise autant que lui par l'amertume qui transparaissait dans ses paroles.

— Ne le prends pas comme ça ! s'écria-t-il. Ce n'est pas ce que tu crois. C'est juste que… je ne sais pas encore.

Instinctivement, Sheri posa une main protectrice sur son ventre.

— Je ne veux pas… avorter. Je sais que nous n'en avons pas encore discuté tous les deux, mais je ne veux pas perdre ce bébé. Je l'aime… Je veux qu'il vive… Jamais je ne pourrai…

— Je sais ! coupa-t-il en la faisant taire d'un index posé sur ses lèvres. Je ne pourrai pas moi non plus. Ni maintenant ni jamais.

— Alors, qu'allons-nous faire ?

Sheri chercha le regard de Jeff.

— Il faut que j'y réfléchisse, répondit-il en secouant la tête. Je dois trouver un plan…

Trop longtemps contenues, les larmes de Sheri débordèrent en abondance sur ses joues.

— Jeff…, gémit-elle. J'ai peur. Il m'arrive d'avoir ce pressentiment — comme si quelque chose de terrible allait nous arriver. Comme si…

— Chut…, souffla-t-il en essuyant ses pleurs du bout des doigts. Nous en reparlerons plus tard. J'ai juste besoin d'un peu de temps. Tout va s'arranger. Je te le promets…

Soulagée à défaut d'être convaincue, Sheri hocha la tête et se blottit contre lui. Jeff la serra fort entre ses bras et lui murmura tendrement à l'oreille :

— Je t'aime, Sheri… Si tu savais comme je t'aime ! Tu dois me croire. Je ne laisserai rien de mal nous arriver. Je ferai tout pour…

Quelques coups frappés contre la porte se firent entendre. Aussitôt après, celle-ci s'entrouvrit et la tête d'Alice apparut dans l'entrebâillement.

— Sheri ? lança-t-elle. Est-ce que tout va…

Précipitamment, les deux jeunes gens se séparèrent et sautèrent au bas du lit.

— On ne faisait rien de mal ! s'exclama Sheri, la voix tremblante et les joues rouges de confusion. Nous discutions simplement…

— Ne lui en veuillez pas…, intervint Jeff, aussi mal à l'aise qu'elle. Tout est ma faute. C'est moi qui l'ai suppliée de me laisser entrer.

Incapable de soutenir le regard d'Alice, Sheri se tordait les mains en contemplant ses pieds nus.

— J'espère que vous n'êtes pas fâchée, Miss A. Je n'avais pas… Je voulais juste…

Sa voix se brisa dans un sanglot. A la dérobée, elle lança un regard suppliant à Jeff. Pétrifié, il contemplait fixement la nouvelle venue comme s'il venait de voir surgir devant lui un fantôme.

La gorge nouée, Alice s'efforçait de soutenir sans ciller le regard du fils de Hayes. La ressemblance entre lui et son père était stupéfiante. Il lui était difficile de croire qu'après toutes ces années le petit Jeff qu'elle avait tant aimé se tenait devant elle, dans la chambre d'amis de sa maison, devenu adulte comme par miracle.

Pour briser le charme, elle s'éclaircit la voix et se força à lui parler.

— Tu te souviens de moi, Jeff ?

Le visage rêveur, il hocha lentement la tête.

Stupéfaite, Sheri laissait courir son regard de l'un à l'autre.

— Vous… vous vous connaissez, tous les deux ?

Alice tourna la tête pour croiser son regard. D'une voix neutre, elle expliqua :

— Le père de Jeff et moi avons vécu brièvement ensemble, il y a bien longtemps, alors qu'il n'avait que cinq ans.

Sur le visage de Sheri, la confusion céda le pas à la colère.

— Pourquoi est-ce que vous ne m'avez rien dit ? demanda-t-elle d'un ton accusateur. Vous auriez dû m'en parler !

Mal à l'aise, Alice s'efforça de ne pas détourner les yeux.

— Je ne m'en suis rendu compte que l'autre jour, expliqua-t-elle. Lorsque tu as mentionné le nom du père de Jeff et que j'ai fait le lien avec sa profession.

— Mais… C'était il y a *plusieurs* jours !

— Oui. Mais beaucoup de choses se sont passées durant ces quelques jours.

Alice reporta son attention sur Jeff et lui sourit d'un air très doux.

— Quand je suis… partie, tu m'as énormément manqué. J'espère au moins que tu t'en doutes.

A ces mots, Jeff parut se ressaisir. Son visage se durcit, et il hocha la tête d'un air sombre.

— Oui, je m'en doute. Mon père m'a expliqué qu'il était seul responsable de votre rupture.

Même si elle n'était pas pour la surprendre, Alice ne pouvait qu'admirer la scrupuleuse honnêteté de Hayes. Il aurait été tellement plus simple pour lui de se donner le beau rôle aux yeux de son fils en rejetant la faute sur elle…

— Vous savez, reprit-il avec un sourire radieux, j'ai gardé une photo, en souvenir…

— Une photo ? demanda-t-elle, la gorge serrée par l'émotion.

Jeff hocha la tête.

— Une photo de vous et moi, au zoo… Nous avions fait un tour à dos de chameau.

Avec une nonchalance étudiée, il haussa les épaules et conclut :

— Mais je suppose que vous ne vous rappelez pas.

Alice lutta contre les larmes qui lui montaient aux yeux. Contrairement à ce qu'il voulait croire, elle s'en rappelait parfaitement. La sortie s'était déroulée par un beau jour de printemps, clair et lumineux, alors qu'elle venait d'apprendre qu'elle était enceinte… Juste après que Hayes eut proposé de l'épouser.

S'avisant que Jeff guettait ses réactions, elle fit un effort sur elle-même pour lui sourire.

— Bien au contraire ! s'exclama-t-elle gaiement. Je m'en souviens parfaitement.

— J'ai toujours cette photo… quelque part. Peut-être que je pourrais… l'amener pour vous la montrer, la prochaine fois que nous nous verrons.

— J'aimerais beaucoup cela, Jeff… Cela me ferait très plaisir.

Un silence gêné tomba entre eux. Sheri en profita pour revenir brutalement dans la conversation.

— Je ne peux pas croire que vous ne m'ayez rien dit ! protesta-t-elle. Pourtant, les occasions n'ont pas manqué, depuis que vous savez la vérité.

Alice comprit qu'elle n'avait aucune excuse valable à lui présenter pour expliquer son silence. C'était d'autant plus dommage que la jeune fille ne se liait pas facilement. Leur relation était encore fragile, et le moindre faux pas pouvait la remettre en cause.

Assaillie par la culpabilité, Alice regretta de s'être montrée maladroite et injuste en voulant cacher à sa protégée à quel point elle avait aimé Hayes, et à quel point il l'avait fait souffrir. Alors qu'elle insistait pour qu'elle lui fasse confiance et partage avec elle le moindre de ses problèmes, elle n'avait pas été capable de lui rendre la pareille. Le pire était que l'adolescente en était sans doute à présent tout aussi consciente qu'elle-même.

— Sheri ? Ça t'embêterait qu'on en reparle plus tard ?

Haussant les épaules, la jeune fille détourna le regard et marmonna :

— Comme vous voulez.

— Merci. Ah ! Autre chose...

Alice attendit d'avoir de nouveau accroché son regard avant de poursuivre d'une voix ferme :

— Je ne suis pas ton père, et tu n'as pas à tricher avec moi. Dans cette maison, les invités passent par la porte d'entrée.

Les joues de Sheri s'empourprèrent violemment.

— D'accord, Miss A.

Puis, se tournant vers Jeff, Alice ajouta :

— En parlant de père, le tien sait-il que tu es ici ?

Le jeune homme secoua négativement la tête. Alice feignit la surprise et poursuivit sèchement :

— Dois-je l'appeler pour le lui dire ou comptes-tu le faire toi-même ? Il a le droit de savoir où tu es. Je suis sûre qu'il est fou d'inquiétude.

— C'est mon père, répondit Jeff d'une voix morne. C'est à moi de l'appeler.

— Tu peux utiliser le téléphone de la cuisine. Quant à toi, poursuivit-elle en s'adressant à sa protégée, passe une robe et retrouve Jeff dans le salon. Je vais aller dans ma chambre et vous laisser tous les deux.

Pourtant, sur l'insistance des deux jeunes gens, Alice se joignit à eux. En compagnie de Sheri, elle attendit que Jeff les rejoigne en écoutant la musique cajun qu'elle avait mise en sourdine et qu'elle aimait tant.

Le coup de téléphone fut bref et plutôt orageux, à en juger par les échos venus de la cuisine qu'elles purent capter. Et lorsque Jeff réapparut dans le salon, la contrariété qui se lisait sur son visage montrait avec éloquence que les choses ne s'étaient pas passées au mieux entre son père et lui.

Une heure plus tard, Alice ne fut donc pas surprise de découvrir Hayes, prêt à exploser, sur son paillasson. Lançant un coup d'œil en direction du salon où les tourtereaux roucoulaient sur le sofa, elle se glissa sous le porche et referma la porte derrière elle. Après avoir pris appui sur le panneau de bois, elle leva la tête pour affronter calmement son regard furieux.

— Si tu tiens à lui, conseilla-t-elle, ne fais pas ça...

— Ne fais pas quoi ? gronda-t-il. Je viens chercher mon fils pour le ramener à la maison. C'est tout...

Sa colère atteignit Alice de plein fouet, comme une onde puissante et imparable. L'air semblait crépiter d'un orage à venir autour d'eux. Pour établir le contact autant que pour le calmer, elle posa la main sur son avant-bras.

— Je sais que tu es très en colère, reprit-elle. Et je le comprends. Mais tu dois prendre en compte le fait qu'il l'est autant que toi. Si tu ne te calmes pas avant d'entrer dans cette maison, vous allez tous deux dire des choses que vous regretterez ensuite...

— De toute la journée, je n'ai pas su où il était ! s'emporta Hayes sans lui répondre. Après notre dispute de ce matin... j'ai eu peur que... je me disais qu'il aurait pu...

Renonçant à conclure, il secoua la tête d'un air de dépit.

— Bon sang ! N'importe quoi aurait pu arriver...

Machinalement, Alice laissait ses doigts aller et venir le long de son bras, en une caresse apaisante. Il n'avait pas pris le temps d'enfiler un manteau. Son pull en cachemire était aussi doux au toucher qu'était ferme et chaude la chair qu'il habillait. Réalisant soudain ce qu'elle était en train de faire, elle retira vivement sa main, comme électrisée par ce contact.

— Je sais ce que tu ressens, assura-t-elle d'une voix douce. Et je comprends ton point de vue. Mais tu dois faire le même effort en ce qui le concerne. Laisse-le pour une fois agir à sa guise. Donne-lui cette parcelle d'indépendance qu'il réclame…

Au regard qu'il lui lança, Alice devina qu'il était partagé et incertain quant à la conduite à tenir.

— C'est complètement dingue…, lâcha-t-il dans un souffle. Je ne sais vraiment pas comment ni pourquoi nous en sommes arrivés là. Et même si je comprends ce qui est en train de se passer, je n'ai pas la moindre idée sur la façon de régler le problème et de réparer les dégâts.

Alice sentit son cœur s'envoler vers lui. Hayes était un homme accoutumé à toujours tout maîtriser, à venir à bout de tous les obstacles par la force de la logique, de la patience, du raisonnement. En butte à la situation irrationnelle et explosive à laquelle il était confronté, nul n'aurait pu se sentir plus démuni que lui.

— Jeff est en train de traverser la première crise de son existence d'adulte, lui expliqua-t-elle patiemment. Il se retrouve en âge d'entrer à l'université, de faire ses propres choix, de devenir autonome, avec tous les doutes et les incertitudes que cela suppose.

Alice se surprit en train d'esquisser un geste vers lui. Pour s'en empêcher, elle croisa les mains sur ses genoux et reprit :

— Pour couronner le tout, il doit s'habituer à l'idée de devenir tout à coup père à son tour… Fais-lui confiance,

Hayes. Laisse-lui le temps de se reprendre. Tu sais où il est. Tu sais qu'il ne risque rien.

Durant une longue minute, Hayes soutint son regard sans ciller, semblant peser les options qui s'offraient à lui. Finalement, il hocha la tête d'un air résolu. Alice sentit un soulagement intense se faire jour en elle.

— D'accord, dit-il. Je le laisse à ta garde. Mais je veux qu'il soit rentré pour minuit.

— Cela va sans dire…, approuva-t-elle. Je vais…

Mais avant qu'elle ait pu en dire plus, derrière elle la porte s'ouvrit, inondant le porche d'une lumière vive qui fit grimacer Hayes. Prête à s'interposer, Alice se retourna. Un coup d'œil au visage fermé de Jeff suffit à lui faire renoncer à tout espoir de médiation. Manifestement, l'heure n'était pas à la réconciliation…

— Avant que l'un ou l'autre puissiez dire quoi que ce soit qui dépasse votre pensée, prévint-elle en toute hâte, essayez de…

— J'aurais dû m'en douter ! coupa Jeff, furieux, en s'adressant à son père. J'aurais dû comprendre que tu ne me ferais pas confiance… Je t'avais dit que je rentrerais directement à la maison, mais il a fallu que tu te lances à mes trousses.

— Cela fait plus d'une heure, Jeff… C'est cela que tu appelles « directement » ?

— A toi de me le dire…, rétorqua-t-il d'une voix grinçante. Comme tu me dis tout le reste de ce que je dois penser, faire et ressentir !

Hayes émit un grognement de dégoût.

— Ne me fais pas rire… Tu veux être traité en homme ? Alors commence par agir en conséquence. Un homme ne vaut…

— … que ce que vaut sa parole ! compléta Jeff à sa place, en une imitation caricaturale de son père. J'ai dû entendre ça au moins un million de fois.

Les yeux rétrécis par la colère, Hayes fit un pas en avant et se vint se camper fermement devant lui.

— Vraiment ? Alors c'est que je ne l'ai pas dit assez fort. Ou que tu es un peu dur d'oreille…

— Va au diable !

Sans laisser à son père le temps de répliquer, Jeff tourna les talons et rentra dans la maison. Jurant entre ses dents, Hayes se rua derrière lui, laissant à Alice le soin de refermer la porte. Mais aussitôt qu'il eut atteint le seuil du salon où Sheri patientait nerveusement, un coussin serré contre son ventre, il se figea sur place.

— Sheri habite chez moi pour quelque temps…, annonça Alice en réponse à son regard interrogateur.

— Bonjour, monsieur Bradford…, murmura timidement la jeune fille, visiblement terrifiée.

Au prix d'un effort manifeste pour se maîtriser, Hayes parvint à lui répondre avec un sourire contraint.

— Hello, Sheri. Alice m'a appris ce qui t'est arrivé. J'en suis désolé et je regrette d'avoir appelé ton père. Te causer du tort n'était pas du tout mon intention.

Les yeux débordant de larmes, l'adolescente hocha la tête avec soulagement.

— Cela ne fait rien, monsieur Bradford…, murmura-t-elle timidement. Ce n'était pas votre faute.

— Tu plaisantes ? s'emporta Jeff à côté d'elle. Tout est sa faute… Ne te laisse pas avoir par ses belles paroles. Il ne peut supporter de nous voir heureux ensemble. Il ne sera content que le jour où il aura réussi à nous séparer. N'est-ce pas, maître Bradford ?

— Cette plaisanterie a assez duré ! s'écria Hayes avec un geste tranchant de la main. Tu es mon fils. Tu vis sous mon toit. Je veux que tu sois rentré dans une demi-heure.

Sur ce, après avoir brièvement salué Alice et Sheri d'un hochement de tête, il se dirigea vers la sortie. Mais avant qu'il ait pu quitter la pièce, Jeff lui lança d'un air de défi :

— Attends ! Tu n'as pas eu l'air étonné quand je t'ai annoncé au téléphone que j'étais ici… Tu croyais peut-être que j'étais venu dire un petit bonjour à ton ex-petite amie, celle que tu as laissé tomber parce qu'elle te faisait trop penser à maman !

Stoppé dans son élan, Hayes se figea sur le seuil et se retourna lentement. Les mots de son fils avaient eu sur lui l'effet d'un direct à l'estomac. Un rapide regard en direction d'Alice lui apprit qu'elle paraissait aussi sonnée que lui. Il voulait éviter par-dessus tout de la blesser de nouveau en l'entraînant dans des disputes qui ne la concernaient pas. Malheureusement, Jeff n'était manifestement pas dans le même état d'esprit.

— Trente minutes, Jeff…, dit-il en s'agrippant à la poignée de la porte. Pas une de plus.

En refermant derrière lui, Hayes laissa fuser de ses lèvres un long soupir douloureux. Sciemment, Jeff avait frappé là où il le savait le plus vulnérable. Se pouvait-il qu'il ait pu apprendre cela de lui ? Son fils avait-il observé et reproduit son comportement, tout comme lui l'avait fait en son temps de son père ? Et comme lui, Jeff finirait-il, à trente-neuf ans, seul et dévoré par une carrière trop prenante, méprisé par un fils qui le rejetterait à son tour ?

Trop bouleversé pour regagner immédiatement sa voiture, Hayes traversa le porche et s'accouda à la rambarde. La rue où habitait Alice, bordée de cottages modestes pour la plupart restaurés, longeait la rivière. Soulagé d'être enveloppé par les ténèbres de la nuit, il s'abîma dans la contemplation des eaux tranquilles du cours d'eau. Alors lui apparut clairement ce qui plus encore que les paroles blessantes de son fils lui faisait mal. *Il n'était pas en train de perdre Jeff. Il l'avait déjà perdu...*

Les mains crispées sur la rambarde, Hayes lutta contre les émotions qui l'assaillaient, exactement comme il l'avait fait toute sa vie. Mais cette fois, le flot en était trop puissant pour être contenu. Il déferlait sur lui, le laissant stupide et impuissant pour combattre cette force qui inexorablement l'éloignait de Jeff.

Un instant plus tard, le bruit de la porte s'ouvrant en douceur se fit entendre. Il n'eut pas besoin de se retourner pour savoir qui venait vers lui. Alice avait toujours eu une démarche, une odeur, une présence qu'il aurait reconnues entre toutes.

— Hayes ?

Il se retourna vers elle et la vit se détacher en ombre chinoise sur la trouée de lumière de la porte ouverte. Bien que son visage demeurât dans la pénombre, il vit ses yeux briller.

— Viens...

Sans rien ajouter, elle lui prit la main et mêla ses doigts aux siens pour l'entraîner, de l'autre côté de la rue, sur les bords de la rivière, plongés dans la pénombre. Durant un long moment, ils demeurèrent en silence, bercés par le clapotis apaisant de l'eau.

Enfin, elle tourna les yeux vers lui et murmura :

— Je suis désolée. Je sais combien cela a dû être dur à entendre pour toi.

Hayes caressa la joue d'Alice. Sous ses doigts, sa peau était douce et chaude. Lentement, sa main dériva vers ses cheveux, s'enfonça dans les mèches soyeuses, dont il se rappelait la souplesse et la douceur.

Ils n'avaient vécu que quelques mois ensemble, et pourtant il lui semblait à cet instant qu'ils étaient liés tous deux depuis toujours. Comme si Jeff avait été leur fils et qu'ils l'avaient élevé ensemble. Comme s'ils n'avaient aucun secret l'un pour l'autre. Loin de lui faire peur, cette sensation troublante lui fit du bien. Et loin de chercher à la combattre, il la laissa s'insinuer en lui, conscient du danger qu'il y avait à s'y abandonner mais incapable de s'y soustraire.

— Tu es tellement belle…, murmura-t-il. Tu es la femme la plus lumineuse que j'aie jamais rencontrée.

— Hayes ? s'inquiéta Alice d'une voix tremblante. Tu ne vas pas…

Sans la laisser poursuivre, il se pencha et du bout des lèvres effleura les siennes, légèrement, avec une tendresse dont il ne se serait jamais cru capable. Il la sentit trembler sous sa main et dut résister à l'envie de la serrer contre lui. Il dut lutter contre le besoin de prendre sa bouche, avec passion cette fois. Il dut se faire violence pour ne pas chercher à faire sien, une fois encore et enfin, ce corps délicieux qui ne semblait fait que pour lui.

Pour écarter tout risque, il plongea ses mains au fond de ses poches et recula d'un pas.

— Que s'est-il passé entre Jeff et moi ? s'interrogea-t-il à voix haute, les yeux fixés sur les eaux noires de la rivière. Qu'est-il arrivé au petit garçon qui avait tant d'admiration pour son père ?

D'un coup d'œil par-dessus son épaule, il prit Alice à témoin.

— Tu te rappelles ? Il recherchait sans cesse mon approbation. Pour lui, j'étais le plus grand, le plus fort.

— Je me rappelle…

Hayes secoua tristement la tête et reprit, d'une voix emplie d'amertume :

— Quand il voulait obtenir de moi quelque chose, il s'amusait à m'appeler *papounet*… A présent, il n'attend plus rien de moi et doit me traiter de salaud dans mon dos. Pourquoi est-il tellement en colère contre moi ?

Alice ne donna pas de réponse à cette question qui n'en appelait pas vraiment. Hayes se retourna d'un bloc et la saisit par les avant-bras pour scruter son visage à demi éclairé par les réverbères. Il l'aurait sans doute haïe s'il avait lu dans ses yeux de la pitié — ou pire encore de la réprobation — mais il n'y découvrit que sympathie et compréhension.

Trop engagé dans sa confession pour y mettre un terme prématuré, il s'entendit expliquer à voix basse :

— Isabel n'a jamais bercé Jeff. Elle était bien trop absorbée par sa propre détresse. Après… ton départ, je me suis mis en tête de le prendre dans mes bras comme tu le faisais pour le consoler. Plus exactement, j'ai essayé, car Jeff me rejetait quand je m'y risquais. Ce n'était pas moi qu'il voulait…

Jurant tout bas, Hayes se détourna et d'un violent coup de pied envoya valser dans la rivière une poignée de gravillons qui s'y abattit en crépitant.

— Tu ne peux pas savoir combien ça fait mal…, reprit-il d'une voix éteinte. J'ai fait de mon mieux pour combler les déficiences de sa mère. J'ai essayé de lui donner l'amour qu'elle n'avait pu lui donner. Je l'ai fait à ma façon. Mais manifestement, cela n'a pas suffi.

— Au moins, intervint Alice, tu as essayé…

— Et j'ai échoué. Tout comme j'avais échoué avec Isabel. Elle était tellement malheureuse… J'aurais dû la forcer à rechercher une aide psychologique.

— Tu restes persuadé qu'elle a mis fin à ces jours, n'est-ce pas ? Même si le rapport de police conclut à une mort accidentelle.

Fermant les yeux, Hayes massa longuement ses tempes douloureuses avant de répondre.

— Ce doute me poursuivra toujours. Peux-tu me dire pour quelle raison une femme intelligente et sensée avalerait une pleine armoire à pharmacie et un demi-litre de whisky avant de prendre le volant si ce n'était dans l'idée de mourir ? Je ne lui pardonnerai jamais de nous avoir laissés ainsi, d'avoir laissé à Jeff cette mort affreuse en héritage.

Un silence gêné retomba entre eux. Alice fut la première à le briser.

— Est-ce vrai, ce que Jeff disait tout à l'heure ?

Surpris, Hayes croisa son regard brièvement avant de s'empresser de tourner la tête.

— Hayes ? insista-t-elle. As-tu choisi de mettre fin à notre relation parce que tu avais peur que je sois comme Isabel ?

Durant un long moment, il se cantonna dans un silence prudent, avant de répondre enfin :

— Tu sais pourquoi j'ai choisi d'y mettre fin. Je ne t'ai jamais menti, Alice.

— Tu pensais que j'étais trop jeune.

Hayes vint se planter face à elle et saisit son visage entre ses mains pour mieux marteler son propos.

— Tu *étais* trop jeune. Tu avais la vie devant toi. Tu n'avais pas besoin de t'encombrer avec moi ou Jeff ni avec nos problèmes…

— De *m'encombrer* ? répéta-t-elle avec stupeur. Si tu es capable de penser une chose pareille, alors c'est que tu ne sais rien de l'amour ! Je *t'aimais*, bougre d'imbécile ! Et j'aimais Jeff. Je vous aimais de tout mon cœur, et la responsabilité que cela représentait n'était pas pour me faire peur.

Hayes émit un claquement de langue agacé.

— Ce n'était alors que des rêveries adolescentes… Tout comme ce ne sont aujourd'hui que des souvenirs colorés en rose par la mémoire. Ce que tu voulais, c'était créer la parfaite petite famille unie et heureuse que tu n'as jamais eue. Mais tu ne l'aurais pas eue auprès de moi, Alice. Parce que je n'aurais pas été capable de t'offrir ce à quoi tu aspires : le bonheur.

Rouge d'indignation, Alice se libéra de son emprise d'un brusque mouvement de tête.

— Ce qui est coloré en rose, s'emporta-t-elle, ce sont tes souvenirs à toi ! Pourquoi ne pas reconnaître la vérité ? Tu t'es rendu compte que *je* ne pourrais jamais t'offrir ce à quoi tu aspirais. N'est-ce pas ?

Trop abasourdi pour lui répondre, Hayes la regarda faire demi-tour et courir en direction de sa maison. S'imaginait-elle vraiment qu'il l'avait quittée parce qu'il ne l'estimait pas assez bien pour lui ? Etait-elle donc incapable de comprendre qu'elle était ce qui lui était arrivé de mieux dans l'existence, que sa vie sans elle avait été un enfer ?

Alice atteignit le porche, sous lequel les fenêtres éclairées brillaient de manière accueillante. Quand elle fut sur le point d'ouvrir la porte, la main sur la poignée, il la vit se retourner et regarder dans sa direction. L'obscurité l'empêchait de discerner son expression, mais quelque chose de fort, un sentiment poignant et triste, passa entre eux à cet instant.

Hayes eut envie de la retenir pour ne pas rester sur cette impression. Il ouvrit la bouche pour l'appeler, mais son nom resta coincé dans sa gorge et il ne put que la regarder disparaître à sa vue. Un moment plus tard, il se retrouva seul. Tournant le dos aux fenêtres éclairées d'Alice, il se résolut à marcher d'un pas lourd vers sa voiture.

4.

Six jours plus tard, debout devant le miroir de sa salle de bains, Alice se figea brusquement et suspendit le mouvement de sa brosse dans ses cheveux. Fixant son reflet, elle s'examina attentivement en fronçant les sourcils. C'était peu de dire qu'elle ne paraissait pas au mieux de sa forme, et il lui était facile d'en déterminer la cause.

Depuis sa discussion avec Hayes sur la berge de la rivière, elle avait été incapable de le chasser de ses pensées, de chasser de sa mémoire les secondes trop brèves au cours desquelles ses lèvres étaient entrées au contact des siennes. Ce baiser fugace avait suffi à la troubler jusque dans son travail et à la poursuivre dans son sommeil. Chaque matin, elle s'éveillait fatiguée et maussade d'avoir trop mal dormi.

Lentement, Alice reprit le brossage de ses cheveux. Surprise ce soir-là par l'initiative de Hayes, elle n'avait pu s'y opposer. Haussant les épaules, elle fit une grimace à la jeune femme intraitable qui dans la glace la considérait d'un œil sévère.

Il lui fallait bien se l'avouer, l'élément de surprise n'avait rien à voir avec sa passivité. La vérité était bien plus simple et terrible à admettre. Après douze longues années, après lui avoir brisé le cœur en la rayant de sa vie, l'homme qu'elle avait aimé était toujours capable de lui remuer les sens avec le plus léger et le plus insignifiant des baisers.

Ce constat dérangeant suscitait en elle une série de questions plus dérangeantes encore. Avec l'expérience qui était la sienne, comment un homme pouvait-il percer ses défenses aussi facilement ? Et surtout, pourquoi cet homme-là précisément ? Voulait-elle souffrir de nouveau, se laisser amadouer, utiliser et finalement rejeter ?

Car ce qui lui semblait évident, c'était qu'elle n'avait rien d'autre à attendre en renouant avec Hayes. Il ne l'avait jamais aimée et elle se leurrerait en imaginant qu'il l'aimerait un jour comme elle l'aimait.

Surprise par ses propres pensées, Alice lâcha sa brosse, qui alla percuter avec un bruit sec le plan de travail carrelé. Etait-ce donc vraiment ce qu'elle avait en tête ? Non, décida-t-elle en ramassant sa brosse pour se recoiffer avec vigueur. Cela faisait longtemps qu'elle ne l'aimait plus et qu'elle avait renoncé à son amour.

Au fond, peu lui importait de savoir s'il l'avait rejetée parce qu'il la trouvait trop jeune, pas assez bien pour lui, ou trop semblable à son ex-épouse. La vérité, c'était qu'il ne l'aimait pas et ne l'avait jamais aimée. Sinon, comment aurait-il pu faire ce qu'il lui avait fait ? Mais dans ce cas, pourquoi l'avait-il embrassée ? Et pourquoi avait-elle laissé un simple baiser mettre sa vie sens dessus dessous ?

Certes, s'il était un domaine où ils s'entendaient parfaitement, c'était celui des relations sexuelles. Dans un lit, ils semblaient faits l'un pour l'autre et n'avaient jamais connu le moindre conflit…

Dans le miroir, Alice vit ses joues s'empourprer et soupira bruyamment. Si Hayes espérait renouer leur relation uniquement sur ce plan, songea-t-elle avec détermination, il en serait pour ses frais. Car même s'il continuait à l'attirer physiquement, cela ne constituait pas à ses yeux une raison suffisante pour risquer de sa part un nouveau rejet.

Tournant le dos à son reflet et aux réflexions qu'il lui inspirait, Alice gagna le living-room pour y prendre son sac et ses clés. Ce matin-là, le staff du Foyer de l'Espoir au grand complet se réunissait pour discuter du cas de Tim et de son problème de drogue.

Alice ne se faisait guère d'illusions. Sans doute Dennis, le directeur, avait-il convoqué cette réunion pour proposer l'exclusion définitive de l'adolescent. Tim avait, à de nombreuses reprises, enfreint le règlement du Foyer qui proscrivait formellement l'usage de stupéfiants.

Le problème était qu'elle ne parvenait pas à se faire une opinion quant à l'opportunité de cette mesure disciplinaire. Sa responsabilité n'était pas mince. En tant que psychothérapeute de l'équipe, nombre de ses collègues attendaient de connaître son point de vue pour se prononcer à leur tour.

Après avoir récupéré son sac, Alice fourragea à l'intérieur pour y dénicher ses clés. Plus elle songeait à Tim, plus elle se sentait écartelée entre son besoin de lui venir en aide et la voix de la raison qui lui dictait de le laisser suivre un programme de réinsertion plus contraignant et sans doute plus adapté à son cas.

Songeant aux réticences de Sheri à l'égard de Tim, Alice marqua une pause dans ses recherches. Certains des résidents du Foyer partageaient-ils son malaise ? Ses camarades, plus proches de lui, avaient-ils mis le doigt sur quelque chose qui lui aurait échappé durant leurs séances hebdomadaires ?

Le sentiment de sécurité que les bénéficiaires du programme éprouvaient au Foyer de l'Espoir était un élément fondamental. L'équipe avait travaillé dur pour instaurer un climat de confiance et de liberté. Certains adolescents

— et Sheri en faisait partie — n'avaient jamais bénéficié chez eux d'un tel environnement. Si l'un des résidents perturbait cet équilibre en étant perçu par les autres comme potentiellement menaçant, c'était tout le programme qui risquait d'en pâtir.

Ayant enfin mis la main sur ses clés, Alice se mit en route sans cesser de penser à Tim. Elle ne pouvait s'empêcher d'être inquiète de ce qui lui arriverait s'il devait être exclu. Peu lui importerait qu'il ait enfreint le règlement ou même qu'il ne se sente pas dans son élément au Foyer. Il vivrait cette éviction comme un nouvel échec, comme un nouveau rejet de la part des adultes, à ajouter à tous ceux qu'on lui avait déjà fait subir autour de lui et dans sa famille.

Alors qu'elle s'apprêtait à sortir, le téléphone sonna dans le hall. Agacée, Alice jeta un rapide coup d'œil à sa montre. Bien que déjà fort en retard, elle fit demi-tour et alla répondre. Peut-être Dennis ou un de ses collègues cherchait-il à la joindre avant la réunion ?

— Allô ? dit-elle en consultant de nouveau sa montre.

A l'autre bout du fil, personne ne répondit.

— Allô ! répéta-t-elle d'une voix impatiente. Qui est à l'appareil ?

Dans le combiné, seul se faisait entendre faiblement le bruit d'une respiration précipitée. Saisie par une brusque appréhension, Alice raccrocha violemment. La chair de poule hérissait sa peau et son cœur battait à coups redoublés. Quelqu'un, quelque part, était tapi dans l'ombre et cherchait à lui faire peur, guettant ses réactions, et se repaissant peut-être de sa panique... Le pire c'est qu'elle avait déjà dû subir ce genre de blague douteuse au cours des semaines précédentes.

Frottant ses bras pour se réconforter, Alice s'éloigna du récepteur et tenta de se convaincre qu'elle n'avait pas à s'en faire. Peut-être son correspondant anonyme avait-il composé un mauvais numéro et n'avait-il pas eu la courtoisie de s'excuser... Ce genre de choses se produisait tous les jours.

Mais alors qu'elle atteignait la porte, la sonnerie retentit de plus belle. Cette fois, Alice se garda bien d'aller répondre. Une seconde sonnerie se fit entendre, puis une troisième, avant que le répondeur ne se déclenche. Le souffle coupé, Alice attendit avec anxiété que la machine ait achevé de diffuser le message d'accueil. Puis, une voix bien connue retentit dans le haut-parleur.

— Hello, Alice... lança joyeusement la voix de sa mère adoptive. Qu'est-ce que tu deviens ? Cela fait longtemps que tu ne m'as pas fait signe... Appelle-moi dès que tu peux !

En verrouillant la porte derrière elle, Alice soupira de soulagement et s'amusa de sa couardise. Dès que la réunion au Foyer de l'Espoir prendrait fin, elle rendrait à Meg Niven-Adler son coup de fil et s'amuserait avec elle de sa peur irraisonnée de répondre au téléphone.

Parler avec la femme qui l'avait recueillie et élevée au sortir de l'adolescence lui ferait du bien. Sans doute l'aiderait-elle à émerger de la morosité dans laquelle l'avait plongée le simple baiser d'un fantôme resurgi tout à coup du passé...

Hayes ouvrit sa portière et mit pied à terre sur le parking de *La Plantation*. A quelques pas de lui, les fenêtres éclairées du coffee shop brillaient comme des balises dans le soir tombant, attirant son attention. Tout comme Alice l'avait fait durant toute la semaine. Tout comme elle continuait de le faire à cet instant...

Pestant entre ses dents, Hayes claqua sa portière avec une violence inutile. Depuis leur dernière rencontre, il n'avait pu s'empêcher de penser à elle. Au cours de ces derniers jours, les souvenirs de cette soirée avaient défilé sous son crâne, en boucle fermée.

Ils avaient eu des mots très durs, mais le pire était ce regard poignant qu'ils avaient échangé à distance, quand elle avait fui pour rentrer chez elle. A de nombreuses reprises, il avait voulu l'appeler pour s'excuser de sa conduite et de ses paroles malheureuses, sans donner suite à son envie. Dans ses rêves, chaque nuit, il se voyait la prendre dans ses bras, emprisonner ses lèvres sous les siennes.

La tête levée vers le ciel crépusculaire, Hayes observa les couleurs chamarrées du couchant et se maudit une fois encore d'avoir cédé à l'impulsion irrésistible d'embrasser Alice. Ce très léger et furtif baiser avait suffi à ouvrir en lui la boîte de Pandore des souvenirs érotiques qu'ils avaient en commun. Aux petites heures de la nuit, quand le sommeil se refusait à lui, ils revenaient le hanter. Il aurait alors donné n'importe quoi pour pouvoir la serrer contre lui, la caresser tout son soûl, et lui faire l'amour comme il en mourait d'envie.

Les poings serrés, Hayes croisa les bras et prit appui contre son véhicule pour recouvrer son calme avant d'entrer. Les choses auraient été tellement plus simples, songea-t-il, s'il ne s'était agi entre eux que d'une histoire de sexe... Il n'était plus un adolescent travaillé par l'éveil des sens et pouvait parfaitement garder sa libido sous contrôle. Du moins, l'espérait-il...

En fait, il n'était pas tout à fait sûr de savoir ce qu'il faisait là, de comprendre pourquoi, au terme de cette semaine éprouvante, il n'avait pu résister à l'envie de se lancer à la recherche d'Alice. Il avait tenté de se persuader que c'était pour lui parler de Jeff et Sheri, mais il était suffisamment honnête avec lui-même pour admettre que ce n'était qu'un prétexte.

Lorsqu'il avait fini par chercher à joindre Alice chez elle, Sheri lui avait répondu qu'elle était allée rendre visite à sa mère adoptive. Alors, semblable à quelque amoureux transi, il n'avait pu faire autrement que se mettre en route séance tenante pour *La Plantation* que dirigeait Meg Niven-Adler.

Ils n'auraient pu choisir meilleur endroit pour des retrouvailles. C'était là, bien des années plus tôt, qu'ils avaient fait connaissance. Hayes n'était à l'époque qu'un avocat novice, encore traumatisé par la mort de sa femme et dépassé par la perspective d'avoir à élever son fils seul. Etudiante en psychologie, Alice était de passage chez elle, profitant des vacances scolaires pour se faire un peu d'argent de poche en servant à *La Plantation* cafés et pâtisseries.

Un soir que les affaires tournaient au ralenti, elle s'était décidée à engager la conversation, ce que lui-même s'était bien gardé de faire depuis qu'elle avait attiré son attention. Elle lui avait demandé ce qu'il était en train de lire, puis s'était mise à rire lorsqu'il le lui avait dit.

— Proust ! s'était-elle exclamée. On ne vous a donc jamais dit que la lecture pouvait aussi servir à se distraire ?

Un peu vexé, il avait néanmoins tenu compte de son conseil. A sa visite suivante, ils avaient eu tous deux une discussion animée sur le don qu'avait Stephen King de glacer jusqu'au sang le plus inébranlable de ses lecteurs.

Avec le recul, considérant ce qu'il était à l'époque, il n'était pas difficile à Hayes de comprendre ce qui l'avait attiré en elle. Il s'était nourri de son énergie, de son enthousiasme, de son idéalisme. Alice avait rempli en lui quelque vide ancien, qui ne demandait qu'à être comblé. Mais ce vide, en fait, n'était-il pas toujours aussi béant ?

Ecartant cette interrogation dérangeante, Hayes avança à travers le parking étroit bordé de haies vers le porche surélevé du coffee shop. Dès qu'il eut franchi le seuil, il repéra immédiatement celle qu'il cherchait en dépit de la petite foule qui encombrait les lieux.

Assise à une table, dans un coin reculé, Alice était plongée dans la lecture d'un journal. Machinalement, elle remit en place une mèche rebelle derrière son oreille, qui revint aussitôt lui caresser la joue. Hayes se surprit à en sourire. Il l'avait vue faire ce même geste — avec ce même résultat — des centaines de fois.

— Hello, Alice…, lança-t-il quand il l'eut rejointe.

Lentement, elle releva la tête et croisa son regard. Dans le sien, il vit passer une lueur d'angoisse qui lui serra le cœur. Douze ans auparavant, elle l'aurait accueilli avec une joie et un plaisir non dissimulés.

— Bonjour…, murmura-t-elle en posant la main sur le quotidien ouvert devant elle.

Hayes contempla le beau visage levé vers lui, admirant ses yeux noisette et sa bouche pleine, son petit nez droit et la peau satinée de ses hautes pommettes. A n'en pas douter, Alice était toujours la plus belle femme qu'il ait jamais connue.

— Qu'est-ce que tu lis ? demanda-t-il.

Elle parut hésiter, puis répondit à contrecœur :

— L'histoire de ce garçon, en Floride, qui veut divorcer de ses parents.

Hayes fit une grimace comique.

— On ne t'a jamais dit que la lecture peut aussi servir à se distraire ?

Cela ne la fit même pas sourire.

— Nous avons déjà joué cette scène, Hayes. Et la vie n'est pas une vidéo que l'on rembobine à volonté. Pourquoi es-tu là ?

— Je suis venu te voir.

— Vraiment ? Je me demande bien pourquoi. Il me semble que nous nous sommes dit tout ce que nous avions à nous dire, l'autre soir.

— Tu en es sûre ?

Le visage d'Alice se durcit et ses yeux lancèrent des éclairs.

— Arrête ! protesta-t-elle sèchement. Je déteste quand tu fais ça.

Hayes feignit l'innocence et se glissa sans y être invité sur la chaise qui lui faisait face.

— Quand je fais quoi ?

— C'est moi la thérapeute, ici... D'accord ? Toutes les techniques de conduite d'entretien, je les connais et ne me laisserai pas prendre au piège.

Avec une arrogance dont elle n'aurait jamais fait preuve à dix-neuf ans, Alice arqua un sourcil de manière hautaine et le dévisagea froidement.

— A présent, conclut-elle, si tu n'as rien d'autre à me dire, j'ai à faire.

Du menton, Hayes désigna le *Times Picayune*.

— C'est ce que je constate, en effet...

— Je suis venue rendre visite à Meg.

Hayes se tourna vers le comptoir, devant lequel patientait une file de consommateurs.

— Cela risque d'être difficile, commenta-t-il. Au moins pendant un petit moment...

Alice lâcha un soupir exaspéré.

— D'accord, maître... Vous avez gagné. A quoi dois-je le désagrément de cette visite ?

Soudain mal à l'aise, Hayes baissa les yeux sur ses mains, s'éclaircit la gorge et répondit sans la regarder :

— Jeff et Sheri… Bien sûr.

A ces mots, Alice éprouva une vive déception, qu'elle se reprocha aussitôt et qu'elle masqua de son mieux.

— Bien sûr…, répéta-t-elle. Pour quelle autre raison pourrions-nous nous parler de nouveau après douze années de silence ?

Une étrange expression de souffrance passa sur le visage de Hayes, puis disparut.

— Merci pour ce que tu as fait l'autre soir, dit-il. Merci d'avoir tenté de faire tampon entre Jeff et moi et de l'avoir aidé à surmonter sa colère. Il est rentré à la maison plus calme, plus serein.

Alice s'efforça de soutenir son regard sans ciller. Sa sincérité lui était presque plus difficile à supporter que ses sarcasmes. Elle lui remettait en mémoire toutes les raisons pour lesquelles ils avaient pu tous les deux se lier un jour. Et à cet instant, leur passé commun était bien la dernière chose dont elle voulait se souvenir.

— C'est mon travail d'aider les autres à surmonter leur colère, répondit-elle tranquillement. Je suis douée pour cela.

— Si tu te contentais de faire ton travail, insista Hayes, Sheri n'occuperait pas ta chambre d'amis. Sans doute es-tu douée, comme tu dis, mais tu as aussi un grand cœur, Alice Dougherty…

Alice s'appliqua à prendre le compliment pour ce qu'il était, songeant qu'elle n'avait pas le cœur assez grand pour prendre au pied de la lettre ce que lui disait sans même y croire un cynique au cœur de pierre.

— Le sort de Sheri ne m'est pas indifférent, dit-elle. Ni celui de Jeff.

— A moi non plus.

Après avoir pris une profonde inspiration, Alice se décida à aborder avec précaution le seul sujet dont elle avait envie de discuter avec lui.

— Dans ce cas, que suggères-tu de faire à propos du bébé ?

Hayes marqua une courte pause avant de répondre.

— Selon moi, ils sont tous deux bien trop jeunes pour se marier et avoir un enfant. Et je ne suis pas un fan de l'avortement, légal ou non.

— Ce qui laisse la solution de l'adoption.

— J'en suis arrivé à la même conclusion.

Machinalement, le regard d'Alice se porta sur Meg, qui discutait derrière son comptoir avec un client. Meg Niven-Adler était la femme la plus aimante et la plus digne d'être aimée qu'elle ait jamais rencontrée. Elle l'avait tirée de la rue et lui avait ouvert les portes de sa maison, elle s'était intéressée à elle au moment où tout le monde se détournait de son cas, elle lui avait offert amour, respect, attention. Souvent, elle se demandait ce qu'elle serait devenue sans l'amour indéfectible de sa mère adoptive.

Hayes, qui avait suivi la direction empruntée par son regard, demanda :

— Les enfants de Meg ont été adoptés, n'est-ce pas ?

Alice hocha la tête.

— Amanda et Josh, oui.

Songeant aux deux enfants qu'elle avait vu grandir et s'épanouir, elle se surprit à sourire. Il y avait toujours eu tant d'amour dans la maison de Meg, un tel sentiment de confiance et de liberté, qu'elle s'était promis d'offrir la même enfance, le même départ dans l'existence au bébé auquel il lui avait fallu renoncer.

— Meg est elle-même adoptée, précisa-t-elle en luttant contre les larmes qui lui montaient aux yeux. Tu le savais ?

— Non.

— Son histoire est un peu semblable à la mienne, poursuivit Alice. Elle aussi a échappé à des parents indignes et alcooliques. Un peu plus jeune que moi, cependant. Les Niven, sa famille d'adoption, l'ont recueillie alors qu'elle n'avait que cinq ans.

A cet instant, Meg tourna la tête et lui adressa à travers la salle un chaleureux sourire, qui suffit à lui remplir le cœur de bonheur et d'allégresse. Alice le lui rendit puis se tourna vers Hayes pour conclure :

— L'adoption est une bonne solution, pour tout le monde. Je la pense parfaitement adaptée dans le cas de Sheri et Jeff.

Manifestement soulagé, Hayes croisa ses mains sur la table et se détendit.

— Moi aussi, dit-il. Dans ce cadre-là, je suis prêt à apporter mon aide de toutes les manières possibles.

— Comme tu t'en doutes peut-être, Sheri ne dispose d'aucune couverture sociale. Faute de mieux, elle est obligée de fréquenter le dispensaire d'une œuvre caritative.

— Aucun problème. Qu'elle choisisse l'obstétricien qui lui convient et qu'il m'appelle. Mon assurance couvrira les frais.

Une ombre passa sur le visage d'Alice, qui crut bon de préciser :

— N'allons tout de même pas trop vite en besogne. Il faut encore les convaincre tous les deux… Je ne suis pas certaine que Sheri sera d'accord. Elle est très attachée à ce bébé et compte vraiment être une mère pour lui.

Le visage de Hayes se renfrogna.

— Ne comprend-elle donc pas ce que cela représente de garder cet enfant et de tenter de l'élever toute seule ? Ne voit-elle pas qu'il est dans l'intérêt du bébé d'avoir deux parents adultes et déjà bien installés dans la vie ?

— Bien sûr que non… Elle n'a que dix-sept ans.

— Alors parle-lui… Elle te fait confiance. Toi, elle t'écoutera.

— Je n'ai aucune intention de faire pression sur elle.

Le voyant prêt à protester, Alice s'empara de ses mains pour mieux plaider sa cause.

— Tu dois essayer de comprendre Sheri, de saisir ce que ce bébé représente pour elle. Elle sait que cet enfant l'aimera de manière inconditionnelle. Et elle sait qu'il la laissera l'aimer de la même manière. A part Jeff, personne ne lui a jamais offert cela.

Hayes garda le silence un long moment. Quand il reprit la parole, il avait l'air songeur et son regard débordait de compassion pour elle.

— Si tu la comprends si bien, murmura-t-il, c'est parce qu'elle est comme toi à son âge…

Alice retint son souffle et ses larmes. Elle n'avait ni envie ni besoin de sa pitié. Maladroitement, elle tenta de libérer ses mains, mais Hayes les retenait à présent prisonnières entre les siennes.

— Est-ce également ce que tu ressentais, Alice ? Vis-à-vis de notre enfant ?

Alice ferma les paupières, se remémorant le torrent d'émotions qui l'avait submergée à l'annonce de sa grossesse, puis, quelques mois plus tard, lorsque tous ses espoirs avaient été réduits à néant d'un coup avec sa fausse couche.

— Réponds-moi…, insista Hayes d'une voix douce. C'est cela, n'est-ce pas ?

Indifférente au fait qu'ils débordaient de larmes, Alice rouvrit les yeux et murmura :

— Oui.

Hayes fit courir ses doigts le long des siens de manière insistante, caressante, consolante.

— Je suis désolé, Alice. Je suis tellement désolé… Je n'avais pas réalisé à l'époque, pas compris à quel point ce bébé était important pour toi.

Il fallut un petit moment pour que les mots de Hayes se glissent en elle. Mais lorsqu'elle les eut assimilés, une déflagration de colère l'emporta tout entière, lui coupant le souffle.

— Tout simplement parce qu'il ne représentait rien pour toi ! lança-t-elle avec véhémence. Quand je suis tombée enceinte, tu t'es senti piégé. Et tu n'as proposé de m'épouser que parce que c'était la seule chose digne et responsable à faire… Mais tu n'as jamais réellement voulu de moi, et encore moins de ce bébé !

Sa voix s'était brisée dans un sanglot. Sans douceur, Alice libéra ses mains emprisonnées par celles de Hayes et se leva.

— A présent, si tu veux bien m'excuser, j'ai des choses à faire.

La vue brouillée par un écran de larmes, elle se hâta entre les tables et les consommateurs en direction de la sortie, priant pour y parvenir avant de s'humilier en laissant publiquement libre cours à son chagrin.

Heureusement pour elle, les premières larmes attendirent un peu pour rouler sur ses joues. Dès qu'elle eut mis un pied dehors, le froid lui mordit les joues et elle se rendit compte qu'elle avait laissé sa veste à l'intérieur.

Songeant que Meg pourrait la mettre de côté pour elle, elle dévala les marches du porche et se dirigea vers sa voiture. Mais quand elle y parvint et glissa machinalement sa main dans sa poche, elle s'aperçut que les clés étaient restées dans sa veste et poussa un gémissement sourd.

Alice s'accouda contre le toit du véhicule. Dans l'état dans lequel elle se trouvait, songea-t-elle, jamais elle n'aurait le courage d'affronter Hayes pour aller récupérer ses clés.

— Tu as oublié ceci…

La voix de Hayes, qui avait dû la suivre sans qu'elle s'en aperçoive, venait de retentir dans son dos. Avant de se retourner pour lui faire face, elle essuya brièvement ses larmes. Sans même le regarder, elle tendit la main pour récupérer le vêtement. Plutôt que d'y lire la pitié, elle préférait éviter de croiser ses yeux.

— Merci, dit-elle d'une voix encore bouleversée.

Maladroitement, ses doigts tremblants plongèrent dans la poche pour y saisir le trousseau.

— Je crois que je ferais mieux de…

Mais avant qu'elle ait eu le temps de porter la clé à la serrure, Hayes posa sa main sur la sienne.

— Je suis désolé, Alice…, dit-il d'une voix très douce. Et je tiens à ce que tu me croies.

— Ça n'a pas marché entre nous, répondit-elle sèchement. C'est la vie… Tu n'as pas à être désolé.

D'un geste brusque, elle libéra sa main et conclut :

— Je te demande juste de me laisser tranquille.

— Ce n'était pas de notre relation dont je parlais.

D'une main douce mais ferme, il lui saisit le menton de manière à faire pivoter sa tête vers lui et ajouta :

— Je suis désolé que nous ayons perdu ce bébé.

De nouvelles larmes assaillirent les yeux d'Alice, qu'elle s'efforça de ravaler de son mieux.

— Tu t'imagines sans doute que je vais te croire !

— Tu le devrais. Parce que c'est vrai.

Hayes laissa descendre sa main jusqu'à son épaule, qu'il se mit à masser doucement, tout en lui parlant.

— Bien sûr, je ne pouvais pas vouloir cet enfant avec la même intensité que toi. Nous étions tellement différents, tous les deux… Et nous n'en étions pas au même stade de notre existence. Mais ce bébé était à moi aussi, tu sais… Il était à nous. Ce petit être qui grandissait en toi faisait déjà partie de ma vie, même si cela n'a duré que quelques mois.

Alice eut l'impression que le sol se dérobait sous ses pieds. Venue de sa poitrine, une douleur intense migra lentement vers sa gorge. Douze ans auparavant, ils avaient à peine parlé de la fausse couche, tous les deux. Aujourd'hui, malgré le passage des années, elle réagissait comme si ce malheur venait de lui arriver, comme si elle se trouvait encore dans cette chambre d'hôpital stérile où elle avait dû faire le deuil de ses rêves de maternité.

Sans pouvoir se retenir, elle s'entendit gémir :

— Cela fait… tellement… mal…

Sa voix se brisa dans un sanglot. Sans un mot, Hayes la prit dans ses bras et la serra sur sa poitrine.

— Je sais, mon cœur…, murmura-t-il contre son oreille. Je le sais maintenant.

Dans un élan incontrôlable, Alice passa ses bras autour de sa taille et pleura sans retenue sur son épaule. Durant un long moment, jusqu'à ce qu'elle n'ait plus de larmes à verser, elle ne fit rien d'autre que pleurer. Hayes, pendant ce temps, la berçait contre lui, lui murmurait des mots doux en lui caressant les cheveux pour la consoler.

La chaleur de son corps la réchauffait. Son odeur s'insinuait en elle jusqu'à la griser. Le plus gros de son chagrin épuisé, elle finit par prendre conscience du contact ferme et viril de ses muscles sous la paume de ses mains.

Progressivement, la consolation qu'il lui apportait fit place à l'inquiétude.

Redressant la tête, elle frotta sa joue dans le creux de son cou et sentit son pouls s'affoler. Sa barbe du jour lui écorchait agréablement la peau. Pour mieux s'imprégner de son odeur, Alice ferma les yeux. Ce contact privilégié — son contact — lui avait tellement manqué… Sa présence, ses caresses, sa force et sa douceur lui avaient manqué. Et plus que tout, la certitude d'être auprès de lui, femme et désirable… Aucun autre homme n'avait jamais pu lui procurer cette sensation. Convaincue que personne ne pourrait le remplacer, elle avait même fini par renoncer à chercher.

A regret, Alice redressa la tête et trouva le regard de Hayes. Dans ses yeux, elle devina une inquiétude comparable à la sienne.

— Ce serait une erreur…, murmura-t-elle en posant ses deux mains contre sa poitrine pour le repousser. Nous le savons parfaitement tous les deux.

Loin de se laisser écarter, Hayes resserra l'emprise de ses bras autour d'elle.

— Oui…, reconnut-il d'une voix rauque. Ce serait une erreur.

Alice passa ses bras autour du cou de Hayes et lâcha dans un souffle :

— Je ferais mieux d'y aller à présent…

— Oui, répondit-il en laissant ses lèvres dériver lentement vers les siennes. Ce serait plus prudent.

Mais au lieu de mettre son projet à exécution, elle leva le visage vers lui, ferma les yeux et entrouvrit la bouche pour mieux se prêter à ce qui, inévitablement, allait suivre. Hayes fondit sur ses lèvres, puis sur sa langue, avec la même voracité qu'un rapace sur sa proie. Un gémissement de surprise et de plaisir lui échappa et ses clés tombèrent sur le sol à ses pieds.

La saveur de sa bouche lui semblait étrangement familière, son odeur reconnaissable entre mille plus grisante que le plus entêtant des parfums. Elle retrouva avec émotion l'inimitable façon, obstinée et impatiente à la fois, qu'avaient ses mains de courir sur son corps, de se refermer au bas de son dos sur ses fesses.

Aiguillonnée par le désir, Alice noua ses doigts dans les cheveux de Hayes, pour approfondir le baiser, pour prendre et donner plus encore, pour se rapprocher autant que possible de lui. L'embrasser était aussi bon que rentrer chez elle après une longue absence. Hissée sur la pointe des pieds, elle se pressa désespérément contre lui, comme si sa vie en dépendait. Il lui rendait caresse pour caresse, soupir pour soupir, baiser pour baiser, avec la même frénésie, le même désir né d'années d'éloignement et de frustration.

Alice savait pourtant que la faim dévorante qui venait brusquement de se ranimer en elle ne pourrait se contenter de caresses et de baisers. Il lui faudrait une étreinte plus intime encore, et sentir sa peau nue contre la sienne, pour parvenir enfin à se rassasier.

La soudaineté de ce revirement lui fit peur. Comment la méfiance qu'il lui inspirait avait-elle pu si vite céder le pas à un désir trop puissant pour être contenu ? A quel moment avait-elle décidé de prendre le risque de se livrer à lui ? Douze ans plus tôt, comprit-elle avec un certain vertige… Elle s'était donnée à lui corps et âme lorsqu'ils s'étaient connus, et leur longue séparation n'y avait rien changé. Elle le désirait toujours avec la même intensité, au mépris du bon sens et de la plus élémentaire prudence.

Mais dès que Hayes eut mis fin au baiser, Alice retrouva brutalement le sens des réalités. Le souffle court, les cheveux en bataille et les joues empourprées, il lui lança un regard emprunt de gêne et de regrets. Un sentiment de honte et d'impuissance la submergea. Une fois encore, comme la plus inexpérimentée des collégiennes, elle s'était mise en position de laisser Hayes lui faire du mal.

Furieuse contre elle-même autant que vis-à-vis de lui, elle se débattit entre ses bras pour échapper à son étreinte.

— Lâche-moi, Hayes…, dit-elle d'une voix grinçante. Pour l'amour de Dieu, lâche-moi !

L'air farouche, il la retint par les bras et lança :

— J'ai essayé de t'oublier, tu sais… Mais je n'y suis pas arrivé. Pourtant, je ne regrette pas ce que j'ai fait. Devoir te quitter a été un enfer pour moi. Je l'ai fait pour ton bien.

Abasourdie, Alice cessa de se débattre et le fixa droit dans les yeux. Une fois de plus, il tentait de la convaincre, de lui faire admettre son point de vue pour qu'elle ne soit pas en colère contre lui.

D'une violente secousse des épaules, elle parvint à se libérer de son emprise et s'emporta :

— Espèce de salaud ! Tu n'es pas venu me voir pour parler de Jeff et Sheri, n'est-ce pas ?

Hayes fit un effort manifeste pour soutenir son regard furieux mais dut se résoudre à baisser les yeux.

— Non, avoua-t-il. Je voulais te voir, te parler, être avec toi.

— Tu ne laisseras donc jamais tomber…, reprit-elle, les poings serrés. Il te faut à tout prix me convaincre de la justesse de tes décisions. Pourquoi ne supportes-tu pas que quelqu'un puisse être d'un avis différent du tien ?

Alice amorça un mouvement pour le contourner et rejoindre son véhicule, mais Hayes l'en empêcha en l'attrapant au passage par le poignet.

— Ce n'est pas vrai ! protesta-t-il. Je ne suis pas venu ce soir pour te convaincre de quoi que ce soit. Je suis venu parce que je ne pouvais pas m'empêcher de te revoir.

Et il détestait cela, comprit-elle au regard éloquent qu'il lui lançait. Il le vivait comme une faiblesse, une erreur.

Soudain, elle eut l'impression éprouvante d'avoir fait un bond de douze ans dans le passé. Elle l'avait toujours désiré plus qu'il ne la désirait lui-même. Il le lui avait amplement prouvé lorsqu'il l'avait quittée sans remords. Il fallait croire pourtant que cela ne lui avait pas suffi, puisqu'elle lui offrait, avec la même candeur innocente, une nouvelle opportunité de la rejeter.

Décidant que le moment était venu de se reprendre, Alice pointa fièrement le menton et le fusilla du regard.

— Je te conseille de me lâcher, dit-elle sur un ton calme mais menaçant. Tout de suite !

— Alice. Je…

— Maintenant !

A regret, Hayes la lâcha et recula d'un pas.

— Je ne sais pas quoi te dire, reprit-il tristement.

Sans un mot, Alice déverrouilla sa portière et s'installa au volant. Ce ne fut qu'après avoir démarré qu'elle baissa sa vitre et lança.

— Nous n'avons plus rien à nous dire, Hayes. Mais si tu veux me faire une faveur, la prochaine fois que tu essaieras de m'oublier… concentre-toi un peu plus !

5.

De retour chez elle, Alice était encore à ce point secouée par sa rencontre avec Hayes qu'il lui fallut s'y reprendre à trois fois avant de parvenir à ouvrir sa porte. Dès qu'elle l'eut refermée derrière elle, Sheri apparut dans le hall, porteuse d'un plateau chargé d'un verre de lait et de quelques cookies.

— Bonsoir…, lança-t-elle gaiement.

— Bonsoir, répéta Alice en considérant d'un œil critique l'assiettée de biscuits. J'espère que ce n'est pas ton dîner…

— Non. Rassurez-vous, j'ai mangé un sandwich au beurre de cacahuètes et une pomme il y a une heure ou deux.

Puis, s'apercevant soudain de la mine défaite d'Alice, la jeune fille s'inquiéta :

— Vous allez bien, Miss A. ?

Alice se força à un sourire crispé.

— Très bien. Juste un peu fatiguée.

Apparemment peu convaincue, Sheri hocha la tête.

— Le père de Jeff a appelé tout à l'heure, reprit-elle. Il vous cherchait, alors je lui ai dit où il pouvait vous trouver. J'espère que j'ai bien fait…

D'un pas lourd, Alice s'approcha du portemanteau pour accrocher sa veste.

— Bien sûr…, mentit-elle. Il est passé me voir au coffee shop.

Sheri fronça les sourcils et se dandina d'une jambe sur l'autre, avant de se résoudre à demander :

— Que voulait-il ?

Figée sur place, Alice se rendit compte qu'elle était bien en peine de répondre à cette question. Mais si les motivations de Hayes lui demeuraient obscures, elle savait qu'elle n'avait voulu quant à elle qu'une seule chose dès l'instant où il l'avait prise dans ses bras — faire l'amour avec lui. Les souvenirs vivaces de leur brève étreinte la hantaient toujours. Il lui semblait sentir encore ses lèvres exigeantes sur sa bouche, sa langue curieuse contre la sienne, et sous ses paumes, le contact de son corps dressé tout contre elle.

Le souffle coupé, Alice porta la main à sa bouche. Comment aurait-elle pu oublier ce qu'elle avait ressenti durant ce moment d'abandon entre ses bras et prétendre que la faute lui en incombait entièrement ? Elle avait répondu à ses caresses au centuple, de manière éhontée, comme si elle était affamée de sexe, comme si elle ne pouvait se repaître de lui…

— Miss A. ?

Prise en défaut par l'adolescente, Alice préféra détourner prudemment les yeux. Ses joues brûlantes devaient être écarlates. Devant elle, elle se sentait aussi transparente qu'une vitre. Quelle pourrait être la réaction de Sheri si elle apprenait la vérité ?

— Il ne voulait rien de spécial, répondit-elle. Il passait juste… pour dire bonjour.

De nouveau, Sheri hocha la tête sans conviction. Un silence embarrassé et lourd de non-dits retomba entre elles. Pour y mettre un terme, Alice fit mine de s'étirer en bâillant longuement.

— La journée a été difficile, conclut-elle. Je crois que je vais me mettre au lit avec un bon livre.

Nouveau hochement de tête embarrassé de Sheri. A la voir contempler la pointe de ses chaussons sans bouger d'un pouce, Alice comprit qu'elle devait avoir quelque chose à lui dire. Elle n'était pourtant pas décidée à lui en laisser l'opportunité. Elle avait ce soir suffisamment à faire avec ses propres problèmes sans se charger en plus de ceux d'autrui. A dire vrai, dans l'état d'abattement qui était le sien, elle n'était même pas certaine de pouvoir se débrouiller avec les siens…

Pressée de se retrouver seule, elle se dirigea vers l'escalier et lança :

— Bonne nuit, Sheri…

Mais celle-ci ne semblait pas décidée à la laisser gagner sa chambre.

— Miss A. ?

Dissimulant de son mieux son impatience, Alice lui lança un regard interrogateur par-dessus son épaule.

— Oui ?

L'adolescente rougit violemment et secoua la tête.

— Rien. Je voulais juste vous dire… que j'ai posé le courrier sur la table, dans la cuisine. C'est tout.

Alice lui sourit, la remercia, et lui souhaita de nouveau bonne nuit, avant de se diriger vers la cuisine où elle s'empara de la pile de courrier qu'elle passa négligemment en revue. Au milieu de l'assortiment habituel de publicités et de factures, elle découvrit une lettre manuscrite, portant le cachet de la poste locale et sans adresse d'expéditeur au dos.

Intriguée, elle déchira l'enveloppe dont elle tira un demi-feuillet plié en deux. Dès qu'elle eut commencé à le parcourir des yeux, ses mains se mirent à trembler. De peur que ses jambes ne la trahissent, elle dut s'asseoir sur une chaise. La courte lettre émanait de sa mère. *De sa mère biologique…*

Abasourdie, Alice contempla la missive d'un œil absent. Comment cette femme, qu'elle avait perdue de vue depuis si longtemps, avait-elle fait pour retrouver sa trace ? Et surtout, pourquoi désirait-elle reprendre contact avec elle, après tant d'années de silence?

Alice ferma les yeux et tenta de se représenter mentalement le visage de sa mère. Aussitôt, ce fut celui de Meg qui se dessina dans son esprit, avec son beau sourire chaleureux et ses cheveux noirs comme la nuit. Elle eut beau faire un effort de concentration, il lui fut impossible de se rappeler les traits de sa vraie mère…

Une sensation étrange se fortifia en elle, qui la laissa anxieuse et même un peu paniquée. Bientôt, elle comprit qu'elle ne *voulait pas* voir sa mère, qu'elle n'avait aucune envie de se souvenir d'elle.

Durant plus de quinze ans, elle avait pu s'imaginer que ses parents biologiques n'existaient plus, qu'ils n'avaient représenté qu'une parenthèse malheureuse dans son existence. Elle préférait qu'il en soit ainsi et n'avait aucune envie de remettre en cause cet état de fait.

Néanmoins, la curiosité la força à baisser les yeux sur la lettre pour prendre connaissance de son contenu. Son père était mort. Sous l'empire de l'alcool, il était tombé au bas d'un escalier et s'était brisé le cou.

De nouveau, Alice ferma les yeux et tenta d'y voir clair dans les émotions qui se bousculaient en elle. Que ressentait-elle à cette triste nouvelle ? Après tout, bon ou mauvais,

94

cet homme avait été son géniteur. C'était sa semence qui lui avait donné vie. Si les choses avaient été différentes, il aurait pu devenir l'homme qui comptait le plus pour elle. Mais au lieu du chagrin attendu, elle ne ressentait rien du tout. Ni regret, ni remords, ni même soulagement. Rien. Sa mort la laissait de marbre...

A présent, expliquait dans sa lettre celle qui prétendait être sa mère, le temps était venu d'oublier le passé et de reprendre leur relation là où elles l'avaient laissée, afin de former de nouveau une famille...

Alice se mordit la lèvre pour ne pas gémir. Les souvenirs douloureux de son enfance lui revenaient en bloc. De nouveau, elle était la petite fille constamment effrayée qu'elle avait été. Auprès de ses parents, elle n'avait jamais été capable de faire quoi que ce soit selon leurs vœux, n'avait jamais pu devenir la fille qu'ils auraient voulue. Elle avait pourtant fait tout son possible pour leur plaire et mériter leur affection et leur amour. Elle n'y était jamais parvenue.

Une larme perla au coin de ses paupières et glissa lourdement sur sa joue. D'un geste rageur, elle l'essuya mais une autre aussitôt la remplaça, puis une autre encore. Pourquoi sa mère n'avait-elle pas souhaité qu'ils forment ensemble une famille plus tôt ? Pourquoi ses parents s'étaient-ils montrés à ce point incapables de l'aimer ?

D'anciens souvenirs profondément enfouis en elle remontaient à la surface. Sa mère, ivre morte, hurlant contre elle et l'accusant d'être stupide et paresseuse. Ce jour-là, elle avait fini par lui lancer à la tête une cannette de bière qui n'avait pas atteint son but mais l'avait blessée à l'épaule. Instinctivement, Alice porta la main à l'endroit où une cicatrice, sous ses vêtements, lui rappellerait l'incident jusqu'à la fin de ses jours.

Les souvenirs que lui avait laissés son père n'étaient guère plus réjouissants. Dès son plus jeune âge, il l'avait battue pour un oui pour un non, pour ne pas être là quand il l'aurait souhaité, ou pour être dans ses jambes lorsqu'il l'aurait voulue ailleurs. Et dès que la nature avait doté son corps de formes plus féminines, ses mains avaient commencé à se faire baladeuses et insistantes, explorant des endroits que les mains d'un père ne devraient jamais toucher sur sa fille…

Un sanglot se bloqua dans la gorge d'Alice et la nausée lui souleva le cœur. Elle n'avait pu échapper aux avances de plus en plus précises de son père qu'en trouvant refuge dans la rue, où Meg l'avait recueillie. Et à présent, songea-t-elle avec colère, comme si rien de tout cela ne s'était jamais passé, sa mère voulait qu'elles forment de nouveau toutes deux une famille ?

D'un geste rageur, elle chiffonna la lettre et la lança loin d'elle sur le sol. Elle ne reverrait cette femme pour rien au monde. Elle voulait l'oublier définitivement, tout comme elle avait déjà oublié son visage. Elle avait laissé cette vie, cette petite fille victime et effrayée, loin, très loin dans le passé. Elle n'avait pas à se sentir coupable. C'était à ses parents qu'incombaient la faute et la honte de ce qui s'était passé. Dans ce cas, conclut-elle pour elle-même, d'où lui venait cette impression de n'être, encore aujourd'hui, qu'une gamine de dix ans terrifiée et coupable ?

Bien qu'Alice ait pris la précaution de jeter la lettre de sa mère dans la poubelle en se disant que le passé pouvait y demeurer avec elle, elle ne put s'empêcher au cours des jours suivants de rester sur ses gardes. Plus d'une fois, elle se surprit à surveiller les alentours avant de sortir de chez elle, comme si sa mère avait pu débarquer à l'improviste. Et dès qu'il lui fallait trier le courrier, comme lorsque le téléphone se mettait à sonner, l'angoisse et la panique la tétanisaient.

Avec un soupir, Alice s'installa plus confortablement contre ses oreillers et tenta pour la énième fois de relire le premier paragraphe du roman sur lequel elle calait depuis qu'elle s'était mise au lit. Dehors, une tempête de printemps sévissait. La pluie battait le toit et les fenêtres. Des gerbes d'éclairs fendillaient le ciel nocturne. Elle se sentait aussi instable que le temps et s'en voulait. Des années auparavant, elle avait pris la décision de gérer sa vie sans regarder en arrière. Pourquoi avait-il fallu qu'en quelques jours sa mère biologique et Hayes combinent leurs attaques pour la forcer à se tourner vers son passé ?

Instinctivement, Alice éleva une main à ses lèvres et les caressa rêveusement. Elle n'avait pas revu Hayes depuis l'incident du coffee shop. Pourtant, depuis ce soir-là, il n'avait jamais été très éloigné de ses pensées. Et lui, se demanda-t-elle, avait-il pensé à elle ? Ces quelques minutes tumultueuses sur le parking de *La Plantation* l'avaient-elles obsédé autant qu'elles l'avaient fait pour elle ?

Alice haussa les épaules et émit un soupir agacé. Ne cesserait-elle donc jamais d'espérer de Hayes Bradford ce qu'il ne pouvait lui offrir ?

La foudre tomba non loin de la vieille maison, la faisant sursauter et lâcher son livre. Mais lorsque le bruit se répéta, avec plus d'insistance encore, elle dut se rendre à l'évidence : l'orage n'y était pour rien. Quelqu'un, dehors, tambourinait avec insistance contre sa porte.

Intriguée bien plus qu'alarmée, Alice fronça les sourcils et consulta sa montre. Qui pouvait bien se présenter chez elle à presque 11 heures du soir par un temps pareil ? Immédiatement, elle songea à Tim. Le matin même, Dennis et elle lui avaient annoncé avec un luxe de précautions la nouvelle de son exclusion. Un frisson rétrospectif lui parcourut l'échine en songeant à sa réaction. Sous son regard, elle s'était sentie menacée. A cet instant, elle avait compris ce qui en lui faisait peur à Sheri.

Les coups contre la porte redoublèrent. Alice s'empressa de se lever pour aller ouvrir après avoir cueilli son peignoir au passage. Par le judas, elle découvrit Hayes debout sous le porche, trempé jusqu'à l'os, les cheveux dégoulinant de pluie.

— Hayes ? dit-elle lorsqu'elle lui eut ouvert. Qu'est-ce que…

— Est-il chez toi ? coupa-t-il.

Alice n'eut pas besoin de lui demander de qui il parlait. Son expression paniquée était suffisamment éloquente…

— Je suis désolée…, répondit-elle en secouant négativement la tête. Je ne l'ai pas vu aujourd'hui.

Avec un soupir exaspéré, Hayes peigna de ses doigts écartés ses cheveux mouillés et reprit :

— Sheri est là ?

Alice hocha pensivement la tête.

— Elle est allée se coucher tôt…, expliqua-t-elle. Elle ne se sentait pas bien.

— Je déteste avoir à te le demander, mais… es-tu sûre qu'elle est seule ?

— Oui, naturellement ! Elle…

Se remémorant la fois où elle avait surpris les deux tourtereaux dans la chambre de Sheri, Alice préféra rester évasive.

— Du moins, je pense qu'elle l'est.

— Cela t'embêterait d'aller vérifier ? S'il te plaît…

Frissonnante, Alice s'effaça sur le seuil.

— Entre, dit-elle. Je vais te chercher une serviette.

Après avoir laissé Hayes dans le salon en train de se sécher les cheveux, Alice monta l'escalier à pas de loup. Immobile devant la porte de Sheri, elle n'entendit pas le moindre bruit et se risqua à entrouvrir le battant pour glisser la tête à l'intérieur.

Tout était calme dans la chambre obscure. Roulée en boule sous ses couvertures, la jeune fille dormait profondément. Elle eut beau passer la pièce au crible, elle la trouva vide et poussa un soupir de soulagement. Elle aurait détesté découvrir que sa protégée avait trahi sa confiance en faisant une nouvelle fois entrer Jeff en cachette.

— Tout est normal…, murmura-t-elle après avoir rejoint Hayes dans le salon. Sheri est bien seule. Et autant que je puisse le savoir, ils ne se sont pas parlé ce soir car le téléphone n'a pas sonné.

L'air profondément abattu, Hayes ferma les yeux et pinça l'arête de son nez entre le pouce et l'index.

— Super…, maugréa-t-il. Je n'ai pas la moindre idée de l'endroit où il peut se trouver. J'ai fait le tour de la famille, de ses amis. J'ai même appelé son entraîneur de basket…

Alice eut pour lui un élan de compassion. Il paraissait épuisé. Ses traits étaient plus marqués que d'ordinaire et des cernes bleuâtres soulignaient ses yeux. Soudain, elle eut envie de tendre la main pour effacer les plis soucieux qui lui marquaient le front et dut se retenir pour ne pas céder à son impulsion.

— Je peux utiliser ton téléphone ? reprit Hayes dans un sursaut d'espoir. Il est peut-être rentré à la maison à l'heure qu'il est…

— Bien sûr ! répondit-elle, désignant du menton le petit guéridon placé près du sofa. J'allais me préparer une tasse de chocolat. Tu en veux une ?

Il parut hésiter et la détailla d'un air intrigué.

— Tu es sûre que je ne te dérange pas ? J'ai plutôt l'impression de t'avoir tirée du lit...

Alice baissa les yeux, se rappelant enfin dans quelle tenue elle se trouvait. Machinalement, elle referma les pans de son peignoir sur sa chemise de nuit avant de se trouver stupide. Ainsi vêtue, elle était bien plus décente que dans nombre de ses tailleurs de ville...

— Je ne dormais pas, assura-t-elle d'une voix ferme en se dirigeant vers la cuisine. Fais comme chez toi, j'apporte le chocolat.

A son retour dans le salon quelques minutes plus tard, munie de deux bols fumants, elle trouva Hayes assis contre le sofa, à même le tapis. Il avait retiré ses chaussures, ses chaussettes et sa veste. Les yeux fermés, il paraissait se détendre.

La gorge serrée par une étrange émotion, Alice en profita pour l'observer tout à son aise. Elle avait toujours aimé le regarder, avait toujours vu en lui le plus bel homme qui soit. Et l'effet qu'il produisait sur elle n'avait pas changé...

Alors qu'elle laissait courir son regard le long de sa silhouette athlétique, il ouvrit les yeux et croisa les siens. Durant une minute interminable, il ne fit rien d'autre que la fixer ainsi, son visage ne trahissant pas la moindre émotion. Un vent de panique souffla dans l'esprit d'Alice. A n'en pas douter, l'inviter à cette heure tardive, dans cette tenue, à partager un chocolat avec elle avait été une erreur. Quand donc, se demanda-t-elle avec agacement, cesserait-elle de commettre bourde sur bourde avec lui ?

Pour masquer son trouble, elle se força à un sourire aimable dont il ne fut sans doute pas plus dupe qu'elle.

— Méfie-toi..., le prévint-elle en lui tendant le bol. C'est brûlant.

Alors qu'il le saisissait, leurs doigts se frôlèrent, mais Alice n'aurait su dire si cela avait été intentionnel de sa part ou non. En revanche, le regard d'envie qu'il ne put s'empêcher de glisser par l'échancrure de son peignoir ne pouvait passer pour un hasard...

Du plat de la main, il tapota le tapis à côté de lui.

— Viens t'asseoir près de moi.

La voyant hésiter, il sourit et ajouta, la main droite dressée devant lui :

— Je ne mords pas. Parole de scout...

Résignée à l'inévitable, Alice fit ce qu'il demandait. Leurs épaules se touchaient presque et la chaleur du corps de Hayes parvenait à traverser le frêle rempart de leurs vêtements. S'efforçant de respirer calmement, elle s'absorba dans la dégustation de son chocolat. Elle n'avait jamais été capable de lui résister, et ce n'était apparemment pas ce soir que cela allait commencer...

Durant un long moment, ils gardèrent le silence. Seuls le bruit de la pluie et le fracas occasionnel du tonnerre se faisaient entendre dans la pièce à demi plongée dans la pénombre.

— Nous nous sommes de nouveau disputés, dit enfin Hayes d'une voix morne. Et une nouvelle fois, il s'est enfui sans dire où il allait.

— Quand cela s'est-il produit ?

— Il y a des heures ! répondit-il avec un soupir.

— Et tu es sûr de l'avoir cherché partout où il pourrait se trouver ?

En un geste de lassitude qui lui était familier, Hayes ferma les yeux et se pinça l'arête du nez entre le pouce et l'index.

— Oui. Tout ce que je peux faire, maintenant, c'est l'attendre. Je ne pense pas avoir d'autre option. Je lui ai laissé un message, à la maison, lui indiquant d'appeler ici s'il revenait.

— A quel sujet vous êtes-vous disputés ?

Hayes émit un rire grinçant.

— J'ai essayé de mettre l'idée de l'adoption sur le tapis, et je n'y suis pas allé par quatre chemins… Tu me connais. La subtilité et moi, ça fait deux !

Alice posa la main sur son avant-bras.

— Je suis désolée, Hayes. Pour vous deux…

Son regard se porta sur la main d'Alice, avant d'en revenir à ses yeux.

— Je te remercie. Tu aurais pu me dire que je n'ai que ce que je mérite. Je ne t'en aurais pas voulu…

Alice retira sa main et haussa les épaules.

— Ne dis pas de bêtises ! protesta-t-elle. Ce n'est pas ce que je pense, et tu le sais.

Avec un sourire étrange, Hayes hocha la tête.

— Oui, murmura-t-il. Je le sais.

Comme rasséréné par ces paroles, il prit le temps de boire une large rasade du chocolat chaud avant de poursuivre :

— Délicieux, ce cacao… Mais tu ne m'ôteras pas de l'idée que je suis en train de te priver d'un sommeil précieux.

— Aucune importance, répondit-elle en posant la nuque contre le coussin du sofa. Je ne parvenais pas à dormir de toute façon. J'ai dû exclure un de nos jeunes du programme ce matin…

— De ton propre chef ?

— Pas vraiment. C'est une décision collégiale, à laquelle j'ai donné mon assentiment.

— Ce que tu ne parviens pas à accepter…

Du bout des doigts, Alice dessinait dans l'épaisseur du tapis des motifs complexes.

— Comment l'accepter ? Il avait besoin de nous. Et il a toujours besoin d'aide. Mais c'est un autre type de soutien et d'accompagnement qu'il lui faut. Plus strict. Nous n'avons pas pu faire grand-chose pour lui...

— Tu en parles comme si tu l'avais trahi.

Du plat de la main, Alice lissa d'un coup le tapis et dit en soupirant :

— C'est un peu le cas. Malgré tous les entretiens que j'ai eus avec lui et en dépit de tous les efforts de l'équipe, il a replongé dans la drogue. Le voilà de nouveau en colère contre la terre entière. En fait, il va presque plus mal qu'avant d'arriver chez nous, il y a un an de cela...

Hayes tendit la main pour serrer fort les doigts d'Alice entre les siens.

— Tu ne peux pas sauver le monde entier, tu sais...

Lentement, elle baissa les yeux sur leurs mains jointes, avant d'en revenir à son visage qui trahissait une tendresse amusée.

— Cela n'a jamais été mon intention, répondit-elle. Mais je persiste à penser que si j'avais persévéré dans mes efforts, j'aurais trouvé un biais pour l'aider.

— Peut-être, admit-il avec une moue dubitative. Mais il arrive que certains n'aient pas envie d'être sauvés. Ce n'est pas à toi que je l'apprendrai...

Alice n'avait rien à redire à cela. Elle savait que ce que disait Hayes était vrai. Mais cela ne lui était d'aucune utilité pour assumer le renoncement qu'elle avait dû faire...

Précipitamment, elle retira sa main de la sienne et suggéra, d'une voix trop haut perchée :

— Veux-tu un autre chocolat, ou alors...

— Tout va bien, l'interrompit-il. Je n'ai pas fini celui-ci. Voilà des années que je n'en avais pas bu... Tu avais l'habitude de nous en préparer tout le temps, même en août !

Assaillie par les souvenirs, Alice détourna les yeux. Elle ne se rappelait que trop le temps béni où elle prenait plaisir à préparer la savoureuse boisson chaude qu'ils dégustaient en famille, tous les trois.

— Tu as toujours aimé cela…

Avant de lui répondre, Hayes glissa un doigt sous son menton pour le faire pivoter vers lui et pouvoir capter son regard.

— C'est vrai. J'ai toujours tout aimé de toi, Alice. Comme simplement être assis à ton côté, et profiter de la douceur de l'instant…

Alice avala péniblement sa salive. Qu'aurait-elle pu répondre à cela ? Et même s'il lui avait été encore possible de penser, comment aurait-elle pu parler alors qu'elle avait déjà tant de mal à continuer de respirer ?

— Tu m'as manqué, confessa-t-il dans un souffle. Après notre séparation, tu m'as énormément manqué…

— Pourtant, rétorqua-t-elle, c'est toi qui l'as voulue.

— Je sais, murmura-t-il en détournant la tête vers la fenêtre aux vitres noires sillonnées par la pluie. Je sais.

— Alors pourquoi me dire tout ceci ? Tout est fini entre nous. Y aurait-il encore quelque chose que tu voudrais me faire comprendre ? Qu'est-ce que tu attends de moi ?

Sans quitter la fenêtre des yeux, Hayes répondit :

— Je ne veux… rien obtenir de toi. Je veux juste…

Avec un soupir, il quitta sa contemplation et la fixa de nouveau avec insistance.

— Je veux juste te dire combien tu as compté dans ma vie.

Alice serra les poings jusqu'à piquer ses ongles dans la chair de ses paumes. Que lui importaient ses douces paroles dès lors qu'elle n'avait pas été suffisamment *importante* à ses yeux pour qu'il souhaite faire sa vie avec elle ?

— Va-t'en ! lâcha-t-elle d'une voix grinçante. Tu ferais mieux de rentrer chez toi.

— Je préférerais rester.

— Désolée, ce n'est pas possible.

Alice commença à se redresser mais Hayes la retint par la main. Avant qu'elle ait eu le temps de l'en empêcher, ses doigts s'entremêlèrent aux siens, comme ils le faisaient autrefois dès qu'ils se trouvaient seuls tous les deux.

— J'ai toujours pensé que tu étais la plus belle femme qui soit, chuchota-t-il avec ferveur. Je l'ai toujours su.

La bouche soudain sèche, Alice secoua la tête avec un sourire crispé. Depuis leurs mains jointes, une chaleur troublante et irrésistible remontait le long de son bras, pour gagner progressivement tout son être. Peu à peu, elle sentait lui échapper sa résolution et sa maîtrise de soi. Avant qu'il ne soit trop tard, songea-t-elle avec un début de panique, il lui fallait absolument réagir. D'un geste sec, elle tenta de retirer sa main mais il l'en empêcha en la retenant prisonnière dans la sienne.

— Ne fais pas ça. S'il te plaît…

Hayes feignit la surprise.

— Ne fais pas quoi ?

— Ne joue pas avec moi au chat et à la souris…, gémit-elle, au supplice. Ne joue pas à me rendre folle de désir jusqu'à ce que je ne puisse plus te résister.

Elle fit une nouvelle tentative pour se redresser, mais cette fois Hayes tira sur sa main suffisamment fort pour qu'elle vienne atterrir dans ses bras.

— Toi aussi, tu me rends fou…, confessa-t-il à mi-voix. Sans même te toucher, sans même te regarder. Il me suffit de penser à toi.

Alice vit le visage de Hayes dériver lentement vers le sien et se sentit perdue. Son sang battait à ses tempes à un rythme affolé. Son souffle passait le seuil de ses lèvres en petits halètements saccadés. Il ne restait plus grand-chose de sa détermination à lui résister. Sans grande conviction, elle tenta de se débattre.

— Hayes… Ce n'est pas…

Faute de pouvoir mentir, elle ne conclut pas sa phrase. Qu'aurait-elle pu reprocher à cette étreinte qui comblait ses vœux les plus secrets ? Que ce n'était pas raisonnable ? Qu'elle n'avait pas envie de lui ? Quelle plaisanterie ! Elle le désirait avec une telle urgence — de tout son corps, de toute son âme — qu'elle aurait pu en mourir s'il lui avait brusquement donné satisfaction en la relâchant.

Comme s'il avait pu comprendre qu'il avait gagné la partie, Hayes la fit rouler sur le dos au milieu du tapis et s'allongea au-dessus d'elle en prenant appui sur ses coudes.

— Je n'en dors plus, Alice. Je suis incapable de me concentrer sur mon travail. Ma relation avec mon fils part à vau-l'eau, et pourtant tout ce dont j'ai envie… c'est d'être auprès de toi.

Les lèvres de Hayes se posèrent sur son front, puis descendirent en effleurant le contour de sa joue. Derrière l'oreille, elles découvrirent et embrassèrent l'endroit où le pouls d'Alice battait trop fort.

— Je n'ai jamais oublié quel bonheur c'est pour moi de te serrer dans mes bras. Et je ne peux pas avoir honte de te désirer. Cela m'est impossible. C'est la seule chose qui me soit arrivée dans mon existence dont je puisse être totalement fier.

La bouche de Hayes continua son parcours, de plus en plus bas, jusqu'à se poser dans l'échancrure du peignoir. Le souffle coupé, elle s'arc-bouta pour mieux se prêter à la caresse tout en protestant :

— Tu m'avais promis de ne pas mordre... Parole de scout.

Le visage fendu par un large sourire, Hayes refit surface.

— Malheureusement pour toi, s'amusa-t-il, je n'ai jamais été scout...

Renonçant à toute résistance, Alice glissa la main derrière sa nuque pour attirer ses lèvres contre les siennes. Sa bouche avait la saveur du chocolat, riche et parfumée. Il émanait de lui une grisante odeur de pluie et de vent frais.

Avec un grognement de plaisir, elle entremêla ses doigts à ses cheveux. Elle n'avait rien oublié de sa façon inimitable de l'embrasser, de la toucher, de lui faire l'amour. Tout dans cette étreinte lui paraissait étrangement juste et familier. Après un long voyage, il lui semblait rentrer enfin chez elle et rien d'autre n'avait plus d'importance.

— Miss A. ! se mit soudain à crier la voix affolée de Sheri quelque part dans la maison. Où êtes-vous ? Je ne sais pas ce que... Je ne me sens pas bien !

L'appel angoissé de sa protégée eut sur Alice l'effet d'une douche froide. Essoufflée, rouge de confusion de s'être ainsi laissée aller entre les bras de Hayes, elle se redressa d'un bond et referma précipitamment sur sa poitrine les pans de son peignoir.

— Je suis dans le salon ! cria-t-elle d'une voix sourde. Que se passe-t-il, Sheri ?

La jeune fille jaillit dans la pièce, tenant son ventre à deux mains, le visage couleur de cendres.

— Je ne sais pas..., gémit-elle. Cela fait mal. Et je crois que... j'ai aussi saigné un peu.

A l'idée que le bébé pouvait être en danger, Alice sentit son cœur s'emballer mais fit de son mieux pour ne pas le montrer. Pour le bien de Sheri et de l'enfant qu'elle portait, il fallait qu'elle garde la tête froide.

— Calme-toi…, dit-elle en allant la prendre par les épaules pour la diriger vers le sofa. Tiens, assieds-toi.

Sheri s'accrocha à son bras comme à une bouée.

— Je ne veux pas perdre mon bébé, Miss A. S'il vous plaît, dites-moi que ce n'est pas ce qui est en train d'arriver… Dites-moi que ce n'est pas…

Sa phrase mourut sur ses lèvres au moment où elle aperçut Hayes debout près d'elles. Le sang se retira de son visage déjà très pâle. Les yeux écarquillés, elle laissa courir son regard entre les deux adultes d'un air incrédule.

Troublée, Alice éleva une main pour remettre un peu d'ordre dans ses cheveux, n'imaginant que trop ce que Sheri pouvait déduire de la présence de Hayes chez elle à cette heure avancée.

— Le père de Jeff pensait qu'il se trouverait peut-être ici…, expliqua-t-elle. Nous buvions une tasse de…

— Jeff ! s'exclama l'adolescente en levant vers Hayes un regard affolé. Est-ce qu'il lui est arrivé quelque chose ? Est-ce que…

— Il va bien, l'interrompit-il d'une voix posée et rassurante. Il est simplement parti sans me dire où il allait, comme cela lui arrive parfois. Je suis venu le chercher ici parce que je pensais que peut-être il s'y trouvait. C'est tout…

— Je vais appeler le Dr Bennett…, reprit Alice, qui se souciait bien plus de l'état de santé de Sheri que de clarifier les malentendus. Elle nous dira que faire.

— Vous pensez que c'est grave ? s'écria la jeune fille dans un sursaut de panique. Vous croyez que…

— Ce n'est sans doute pas grand-chose, assura-t-elle sur un ton aussi calme que possible. Mais nous ne pouvons pas prendre le moindre risque. Tu connais le Dr Bennett. Elle ne nous pardonnerait pas de ne pas l'avoir appelée.

Sheri hocha la tête d'un air résigné. Sans attendre, Alice appela l'obstétricienne qui suivait sa grossesse. En quelques mots, elle lui expliqua la situation et sa réponse ne fut pas pour la surprendre.

— Le Dr Bennett pense qu'il vaudrait mieux procéder à un examen approfondi, expliqua-t-elle en raccrochant. Nous devons la retrouver au plus tôt à l'hôpital.

— A l'hôpital ? répéta Sheri, le menton tremblant. Elle pense que... que je suis en train de perdre mon bébé, n'est-ce pas ?

Le risque était réel, ainsi que le lui avait confirmé à mots couverts la praticienne, mais elle ne pouvait pas, bien sûr, lui en faire part.

— C'est une simple précaution, mentit-elle avec aplomb. Le Dr Bennett ne veut pas prendre le moindre risque. Toi non plus, je suppose ?

L'air misérable, elle secoua négativement la tête. A cet instant, la sonnerie du téléphone retentit, la faisant sursauter. Alice décrocha, pensant que le docteur avait oublié quelque chose, et se trouva en communication avec Jeff. De retour chez lui, il avait trouvé le message de son père. En quelques mots soigneusement choisis, elle le mit au courant de ce qui arrivait à Sheri, avant de tendre le combiné à la jeune fille.

— Je vais m'habiller et chercher de quoi la couvrir, expliqua-t-elle à Hayes qui s'était tenu en retrait depuis l'irruption de l'adolescente.

— Pendant ce temps, répondit-il en commençant à se rhabiller, je vais mettre en route la voiture.

Surprise, Alice le dévisagea un moment avant de reprendre :

— Ce n'est pas nécessaire. Je peux conduire.

Hayes endossa sa veste trempée et se dirigea vers la sortie.

— Ça, je m'en doute ! lança-t-il par-dessus son épaule. Mais tu oublies que Sheri pourrait avoir besoin de toi en chemin…

Malheureusement, Alice n'avait rien à redire contre cela.

— Alors d'accord, conclut-elle en lui emboîtant le pas. Dépêchons-nous…

6.

Le trajet jusqu'à l'hôpital ne prit que quelques minutes. Hayes se fraya un chemin à travers les rues endormies de la ville avec un savant mélange de hardiesse et de prudence. A part les gémissements occasionnels poussés par Sheri, le silence le plus complet régnait dans l'habitacle.

Régulièrement, le regard d'Alice se portait sur le profil de Hayes reflété par le rétroviseur. Il lui était impossible de ne pas se demander ce qu'il pensait et dans quel état d'esprit il se trouvait. L'expression neutre de son visage ne l'aidait pas à le déterminer, mais la ligne mince de sa bouche et le muscle qui se contractait sur sa mâchoire lui en donnaient une petite indication.

Se rappelait-il, comme elle, une nuit identique à celle-ci, douze ans auparavant ? C'est elle, alors, qui se trouvait allongée sur la banquette arrière, sous une couverture, gémissante et tétanisée par la peur et la souffrance.

Avec une grimace de dépit, Alice arracha son regard au rétroviseur. Comme le laissait supposer sa parfaite indifférence, il était plus probable que Hayes n'était pas plus affecté par le drame qu'ils étaient en train de vivre que par celui qu'ils avaient connu en leur temps.

A leur arrivée à l'hôpital, Jeff les attendait devant les grandes portes vitrées des urgences, le visage crispé par l'inquiétude. Lorsqu'il vit la voiture de son père se garer, il fonça pour aider Sheri à en descendre, n'accordant pas un regard à Hayes qui l'avait précédé.

— Sheri, mon amour…, gémit-il en encadrant son visage entre ses mains. Est-ce que tu vas bien ?

La jeune fille se jeta à son cou et s'accrocha à lui comme à un ultime recours.

— J'ai si peur, Jeff… Et ça… ça fait mal !

— Ne t'inquiète pas. Je suis là… Tout va bien se…

Sa voix se brisa sur un sanglot étouffé. A deux doigts de se mettre à pleurer lui aussi, il la souleva dans ses bras et s'empressa de l'emporter.

La gorge serrée, Alice les regarda disparaître à l'intérieur de l'hôpital où deux infirmiers munis d'un brancard les prirent en charge aussitôt. La scène à laquelle il lui avait été donné d'assister renforçait une conviction qui peu à peu s'était forgée en elle.

Il lui semblait évident à présent que Jeff et Sheri ne vivaient pas une amourette passagère. Ils avaient besoin l'un de l'autre. Ils s'aimaient tout simplement, de cet amour fort et durable qui forge les couples les plus stables. Elle le voyait à la façon qu'ils avaient de se regarder, de se parler, de se toucher, de compter l'un sur l'autre, comme si rien d'autre n'existait autour d'eux.

Hayes le comprenait-il lui aussi ? se demanda-t-elle en lui lançant un coup d'œil à la dérobée. Lorsqu'il avait été confronté à sa propre fausse couche, il s'était montré stoïque et parfaitement calme avec elle, avait tenté de la raisonner, de calmer ses angoisses à coups d'arguments logiques. Il ne s'était ni affolé ni accroché à elle comme s'il devait la perdre. Il n'avait pas promis de faire tout ce qui était en son pouvoir, ne lui avait pas murmuré à l'oreille des mots d'espoir pour lui faire comprendre que, même en cas de malheur, ils pourraient toujours avoir d'autres enfants.

Des larmes embuèrent les yeux d'Alice. En se mettant en route en silence au côté de Hayes pour rejoindre Jeff et Sheri, elle s'efforça de les ravaler. S'il ne l'avait pas fait, songea-t-elle avec amertume, sans doute était-ce parce que sa décision était déjà prise, avant même qu'elle ne perde leur bébé. Il savait qu'il n'y aurait pas d'autre enfant parce qu'il avait décidé qu'il n'y aurait pas d'avenir commun pour eux...

Le Dr Bennett arriva peu après et entraîna aussitôt Sheri allongée sur son brancard dans une salle d'examen. Jeff, Hayes et Alice durent se résoudre à attendre son verdict à l'extérieur.

Cantonné depuis leur départ dans un silence absolu, Hayes se posta sans même un regard pour son fils devant une fenêtre et fit mine de s'absorber dans la contemplation du parking. Incapable quant à elle de rester en place, Alice se mit à faire les cent pas dans la salle d'attente. Bien que de nature peu religieuse, elle se surprit à adresser au ciel d'ardentes prières en faveur de Sheri, de Jeff et de leur enfant à naître.

Jeff, encore plus impatient qu'elle, essayait l'un après l'autre tous les sièges de la salle d'attente, dont il jaillissait régulièrement comme une fusée pour arpenter la pièce tel un lion en cage.

Enfin le Dr Bennett revint leur annoncer son diagnostic. A son sourire, Alice comprit avec soulagement que le bébé ne risquait rien. Bien qu'elle n'ait pu déceler à l'examen aucun risque immédiat de fausse couche, leur expliqua-t-elle, elle avait recommandé à Sheri d'éviter tout stress et de garder le lit quelques jours.

Le trajet de retour s'effectua dans une ambiance plus détendue que l'aller. A leur sortie de l'hôpital, Jeff avait demandé à son père avec une agressivité superflue s'il pouvait monter avec Sheri dans sa voiture. En dépit de l'heure tardive et de l'attitude de son fils, Hayes avait eu l'intelligence d'y consentir.

Jeff avait abandonné sa voiture sur le parking, et les deux jeunes gens s'étaient blottis l'un contre l'autre à l'arrière, se murmurant à l'oreille des mots doux. Parvenus à destination, ils se dirent au revoir à l'extérieur, avant qu'Alice n'aide la jeune fille brisée par les émotions qu'elle venait de vivre à regagner sa chambre et à se coucher.

De retour dans le salon, épuisée elle aussi, Alice se figea sur le seuil en découvrant Hayes qui l'y attendait. Elle avait tout naturellement supposé qu'il rentrerait chez lui aussitôt après les avoir raccompagnées. Les événements de cette soirée avaient réactivé en elle la peur et la souffrance de sa propre fausse couche, ainsi que la douleur consécutive au rejet de Hayes. Devoir encore l'affronter après ce qui s'était passé était presque plus qu'elle ne pouvait supporter.

— Tu es toujours là ? dit-elle en masquant de son mieux sa déception.

— Je voulais... m'assurer que tout allait bien pour elle.

Alice pénétra dans la pièce et passa une main lasse dans ses cheveux.

— Sheri va bien, confirma-t-elle. Elle dort déjà.

Hayes hocha la tête, le visage parfaitement lisse et impénétrable, et reprit :

— Elle a de la chance de t'avoir.

— En fait, corrigea-t-elle avec agacement, je dirais plutôt qu'elle a de la chance d'avoir Jeff...

114

Les traits de Hayes se durcirent. Les yeux réduits à deux minces fentes, il scruta son visage intensément.

— Je ferais peut-être mieux d'y aller..., dit-il.

D'un air buté, Alice croisa les bras sur sa poitrine.

— Oui. Cela me paraît préférable, en effet...

Mais loin de se diriger vers la sortie, Hayes fit un pas vers elle.

— Alice ?

Tant bien que mal, elle parvint à soutenir son regard inquisiteur. Pointant le menton, elle pria pour qu'il ne se mette pas à trembler et lança d'une voix railleuse :

— Tu n'es pas encore parti ?

Une lueur d'étonnement passa dans le regard de Hayes.

— Que se passe-t-il, Alice ? Quelque chose ne va pas ?

— A ton avis ?

Haussant les épaules, Hayes plongea les mains dans ses poches et se détourna pour gagner la sortie.

— Si tu veux jouer aux devinettes, maugréa-t-il, tu y joueras sans moi. Je m'en vais.

Son attitude suffit à mettre Alice hors d'elle.

— Tu voulais que Sheri perde son bébé ! lança-t-elle sur un ton accusateur. Cela t'aurait bien arrangé, n'est-ce pas ? Tout comme perdre notre bébé autrefois t'a permis de résoudre le problème que je te posais...

Statufié sur place, Hayes pivota lentement vers elle.

— Tu délires..., murmura-t-il. Tu es fatiguée et à bout de nerfs. Va dormir et tu verras que demain...

— A bout de nerfs ! répéta Alice avec une note d'hystérie dans la voix. C'est ainsi que tu me vois ? Constamment à bout de nerfs et incapable d'avoir une discussion sérieuse...

Prêt à sortir, Hayes empoigna résolument le bouton de la porte et s'emporta :

— Ça suffit ! Le moment est mal choisi pour avoir une telle discussion. Je t'appellerai demain et...

En quelques enjambées, elle le rejoignit près de la porte qu'il venait d'ouvrir et qu'elle referma sans douceur du plat de la main.

— Avec toi, ce n'est jamais le bon moment, n'est-ce pas ? Mais je ne te laisserai pas t'en sortir aussi facilement... Réponds-moi : as-tu pleuré la mort de notre bébé ? L'autre soir, tu m'as dit que tu étais désolé, mais as-tu vraiment souffert de sa disparition, ne serait-ce qu'une minute ?

— Alice...

Aussi hors d'elle qu'il restait de marbre, Alice serra les poings et lui martela rageusement la poitrine.

— Pourquoi n'as-tu pas cherché à me consoler ? lança-t-elle sur un ton accusateur. C'était au-dessus de tes forces de te montrer simplement *humain* avec moi ?

Hayes immobilisa ses mains entre les siennes et les garda contre sa poitrine. A travers le tissu encore humide de son sweater, Alice fut surprise et troublée de sentir les battements de son cœur.

— Je ne voulais pas être inhumain..., plaida-t-il. J'essayais simplement d'être fort, pour toi, pour nous. Tu étais si bouleversée... Tout s'écroulait autour de nous.

Alice laissa un soupir excédé fuser de ses lèvres.

— Moi, je n'avais que faire de ta force ! J'avais besoin de ta compassion, du réconfort que tu pouvais me donner, et de ton amour... Pourquoi n'étais-tu pas capable de me donner simplement cela ? Tu me méprisais donc à ce point ?

— Seigneur, non ! Pour qui me prends-tu ? Tu me crois capable de te priver volontairement de ce que...

Renonçant à conclure, Hayes lui lâcha les mains et pivota sur lui-même avec un grognement de rage contenue. A travers un brouillard de larmes, Alice le vit, par un gros effort de volonté, tenter de garder le contrôle de ses émotions.

— Ne comprends-tu pas ? demanda-t-il enfin, d'une voix si basse qu'il lui fallut tendre l'oreille pour l'entendre. Je t'ai donné tout ce que je pouvais te donner. Voilà pourquoi...

Hayes s'éclaircit la gorge et fit volte-face pour capter son regard.

— Ce que j'avais à t'offrir n'était tout simplement pas suffisant, s'excusa-t-il platement. J'étais incapable de t'apporter ce que tu attendais de moi. Et je l'aurais toujours été...

La douleur que lui infligèrent ces mots fit chanceler Alice. Certes, ils étaient là en terrain connu et il n'y avait rien qu'elle ne sût déjà. L'entendre constater de vive voix l'impossibilité de toute relation sérieuse entre eux n'en demeurait pas moins une épreuve.

Résignée, elle ouvrit la porte et s'effaça sur le seuil. Pour se protéger, elle croisa les bras contre sa poitrine et attendit que leurs regards se captent avant de conclure :

— Inutile de m'appeler, Hayes. Ne cherche plus à me voir non plus. C'est terminé entre nous. Cela fait très longtemps que ça l'est...

— Sheri ! Je suis rentrée...

Seul le silence répondit à Alice, de retour chez elle après sa journée de travail au Foyer. Cela n'était pas pour l'inquiéter. Aujourd'hui, trois jours après la fausse alerte qui l'avait conduite à l'hôpital en pleine nuit, l'adolescente était retournée suivre ses cours.

D'abord réticente, Alice avait fini par consentir à son retour au lycée, chapitrant dûment sa protégée sur la nécessité de ne pas présumer de ses forces et de prendre du repos au moindre accès de fatigue. Aucun signe inquiétant n'étant survenu entre-temps, le Dr Bennett avait donné son autorisation elle aussi.

Après avoir gagné la cuisine et ôté sa veste pour la déposer sur une chaise, Alice constata à la pile de courrier posée sur la table que Sheri avait dû rentrer puis ressortir. En examinant l'adresse manuscrite sur la première lettre, elle sut immédiatement qui la lui avait envoyée et sentit son estomac se retourner.

Manifestement, songea-t-elle avec appréhension, sa mère biologique n'avait pas pris son silence pour ce qu'il était — une fin de non-recevoir. Comme malgré elle, Alice tendit une main tremblante vers l'enveloppe et s'en saisit. Une part d'elle-même aurait voulu la précipiter sans la lire dans la poubelle, mais une autre s'y refusait absolument.

Prenant une profonde inspiration, elle déchira le sommet de l'enveloppe, en sortit le feuillet qui s'y trouvait, et lut aussi vite que possible les lignes que sa mère y avait tracées. A de nombreuses reprises, lui expliquait celle-ci, elle avait composé son numéro, raccrochant sans oser lui parler dès qu'Alice répondait. Elle était même venue une fois jusque chez elle, s'était aventurée sous le porche, mais avait renoncé au dernier moment à frapper.

Ses jambes se dérobant sous elle, Alice ne put en lire davantage et se laissa tomber sur une chaise. D'une main agitée de tremblements, elle étouffa le cri de protestation qui lui montait aux lèvres. La chair de poule hérissait sa peau à l'idée que sa mère ait pu se tenir tapie à l'autre bout du fil chaque fois qu'elle avait décroché ces derniers temps sans obtenir de réponse.

Et quand bien même Marge Dougherty se serait décidée à lui parler, se demanda-t-elle en se frottant les bras pour se réconforter, l'aurait-elle reconnue ? Sans aucun doute, conclut-elle pour elle-même. Comment aurait-elle pu sortir de sa mémoire cette voix qui ne s'adressait à elle autrefois que pour l'accabler de torts imaginaires ?

Alice laissa son regard errer sur sa cuisine baignée par le soleil d'une belle fin de journée, enregistrant comme pour la première fois la chaude nuance du parquet de pin, le carrelage rouge et blanc des plans de travail, les fenêtres encadrées de plantes grimpantes. A quel moment sa mère s'était-elle aventurée sous le porche ? Etait-elle présente à ce moment-là ? Marge Dougherty s'était-elle approchée d'une fenêtre dans l'espoir d'apercevoir sa fille ?

Saisie par un nouveau frisson, Alice se frotta les bras de plus belle. Sa maison, son espace, son foyer avaient été investis à son insu, contre son gré. Ce viol de son intimité était à ses yeux presque aussi brutal qu'aurait pu l'être le viol de sa personne.

Machinalement, les yeux d'Alice se portèrent sur la missive dont elle acheva la lecture. En conclusion, sa mère la suppliait de leur accorder à toutes deux une nouvelle chance, certifiant qu'elle voulait par-dessus tout rattraper le temps perdu… Un rire amer fusa de ses lèvres. *Du temps ?* songea-t-elle dans un accès de dérision. C'était donc, selon elle, tout ce qu'elles avaient perdu, toutes les deux ?

Des larmes brouillèrent la vue d'Alice, qui laissa la lettre retomber sur la table. Se pouvait-il que sa mère ait changé, durant toutes ces années ? Le temps et l'âge l'avaient-ils rendue plus douce ? Etait-ce pour cette raison qu'elle était venue jusque devant sa porte sans oser frapper ?

La mère qu'elle avait connue n'avait jamais été sujette à la sensiblerie ni à l'indécision. La mère qu'elle avait fuie s'était toujours montrée directe et même brutale, incapable de garder pour elle ses opinions ou ses émotions.

Dans un brusque accès de colère, Alice ramassa la lettre et la roula en boule. Peu lui importait qu'elle ait changé ou non. Elle ne voulait pas d'un retour de sa mère dans sa vie. Elle n'éprouvait ni l'envie ni le besoin de lui faire une place auprès d'elle, auprès de celle que sans elle, *malgré elle*, elle avait fini par devenir…

Avec ses peurs, ses douleurs et ses doutes, elle avait enterré le passé, il y avait bien longtemps de cela. Marge Dougherty, avec ou sans regrets, avec ou sans envie sincère de la revoir, pouvait bien rester où elle était. Mais d'où lui venait, dès lors, cette éprouvante impression de n'être, en dédaignant son appel, qu'une mauvaise fille, une égoïste et insensible personne ? De cette certitude, sans doute, solidement ancrée en tout être humain, que l'on doit respect et affection à son géniteur, aussi déficient soit-il…

Les larmes envahirent de nouveau ses yeux, débordant cette fois de ses paupières. En colère contre elle-même, elle les essuya sur ses joues d'un geste rageur. Ce genre d'attachement, songea-t-elle, n'était-il pas censé exister dans les deux sens ? Une mère n'était-elle pas supposée avoir l'instinct d'aimer et de protéger sa progéniture ? Et si Marge Dougherty n'avait jamais eu cet instinct, devait-elle pour sa part se sentir liée à elle d'une quelconque façon ?

Sa décision prise, Alice se redressa sur sa chaise et inspira profondément pour se reprendre. Si elle avait, durant des années, quémandé en vain le plus petit signe d'affection de sa mère, elle ne la regardait plus avec les yeux de la petite fille assoiffée de tendresse qu'elle avait été. Devenue adulte, libérée de sa tutelle, elle voyait sa mère pour ce qu'elle était — une femme dure et violente, incapable d'aimer, qui ne méritait en rien l'amour que sa fille avait malgré tout voulu lui donner.

D'un pas résolu, Alice se leva et jeta sans le moindre remords dans la poubelle l'enveloppe et la lettre froissées. Son passé était pour elle mort et enterré. Elle était fermement décidée à ne pas le ressusciter, quoi que celle qui avait été sa mère puisse en penser.

Elle finissait de se sécher le visage après l'avoir aspergé d'eau à l'évier pour se rafraîchir, lorsqu'un bruit de portière violemment claquée dans la rue la fit se retourner. Reconnaissant la voix de Sheri qui criait, elle se hâta de gagner la porte d'entrée qu'elle ouvrit juste à l'instant où la jeune fille y parvenait. Au pied des marches menant au porche, Jeff lui jetait un regard suppliant et inquiet.

— Je ne peux pas y croire ! cria-t-elle en faisant demi-tour. Cela prouve que tu ne m'aimes pas ! Si tu m'aimais, jamais tu n'aurais suggéré une chose pareille…

— Sheri, attends…, protesta Jeff en grimpant d'un bond les marches pour la rejoindre. Tu sais que je t'aime ! Tu dois me croire. C'est juste que…

— Juste quoi ? lui cria-t-elle en pleine figure, les yeux débordant de larmes. Explique-moi en quoi le fait de donner notre bébé à des inconnus est selon toi une preuve d'amour !

— Si tu voulais m'écouter, supplia-t-il en tendant les mains vers elle, je pourrais t'expliquer ce que…

— Non ! Si tu m'aimais…

Sheri ferma les yeux et secoua la tête avec désespoir.

— Je ne devrais pas avoir à te dire quoi faire si tu m'aimais ! conclut-elle. Va-t'en ! Je ne veux plus jamais te voir… Jamais !

Fondant en larmes, la jeune fille fit demi-tour et se précipita à l'intérieur. Un instant plus tard, Alice entendit la porte de sa chambre claquer violemment: Pétrifié sur place, le visage tordu par l'angoisse, Jeff se tourna vers elle et supplia :

— Puis-je aller la voir, Miss A. ? S'il vous plaît… Si je lui parle, je suis sûr que je pourrai lui faire comprendre…

Alice hésita un instant, puis secoua la tête.

— Je ne pense pas que ce soit le bon moment, Jeff. Le Dr Bennett a recommandé d'éviter tout stress et elle me paraît déjà suffisamment contrariée comme cela.

D'un sourire rassurant, elle tenta de le consoler et promit :

— Moi, je vais aller lui parler. D'accord ? Donne-lui quelques heures pour encaisser le choc et se calmer. Ensuite, tu pourras la rappeler.

Jeff hocha la tête. Ses épaules s'affaissèrent, et lorsqu'il leva la main pour la passer dans ses cheveux, Alice vit qu'elle tremblait.

— J'essaie seulement d'agir au mieux, se justifia-t-il d'une voix misérable. Comment peut-elle m'accuser de ne pas l'aimer ? Je veux ce qu'il y a de meilleur pour nous. Pour nous trois… Et je ne veux pas la perdre.

— Je sais, Jeff. Et Sheri le sait aussi. C'est juste que… C'est un mauvais moment à passer pour elle. Sois patient. D'accord ?

Jeff redressa les épaules et le menton, en une tentative maladroite pour masquer ses sentiments et présenter au monde le visage d'un homme résolu à assumer dignement ses responsabilités. A cet instant, il lui rappela tellement Hayes qu'Alice en eut le souffle coupé.

— Bien sûr…, répondit-il en se reculant pour partir. Aucun problème. Au revoir, Miss A.

Ne sachant que faire d'autre pour atténuer sa peine, Alice lui sourit.

— A bientôt, Jeff.

Alice le regarda regagner sa voiture d'un pas pesant, s'installer au volant et disparaître au bout de la rue. Alors seulement, elle referma derrière elle et s'engagea dans l'escalier pour aller consoler Sheri.

Qu'allait-elle pouvoir lui dire ? se demanda-t-elle avec anxiété. D'après ce qu'elle avait surpris de leur dispute, Jeff avait dû évoquer la possibilité d'une adoption. La réaction violente de l'adolescente à cette suggestion n'était pas pour la surprendre. Douze ans auparavant, elle aurait sans doute réagi de la même façon…

Avant de frapper, elle s'immobilisa devant la porte de la chambre d'amis. De l'intérieur lui parvenait le bruit de sanglots étouffés. Après avoir pris une ample inspiration, Alice cogna doucement contre le battant.

— Sheri ? C'est moi… Je peux entrer ?

— Il est parti ?

Alice ouvrit la porte et entra. Allongée sur le ventre en travers de son lit, Sheri avait le visage enfoui dans ses oreillers.

— Oui, répondit-elle. Il avait l'air vraiment peiné.

Le visage rouge, la jeune fille dressa brusquement la tête et s'exclama :

— Tant mieux !

Sans se laisser impressionner, Alice la rejoignit et s'assit sur le lit à côté d'elle.

— Tu veux bien me dire ce qui s'est passé ?

— Vous êtes sûre de ne pas le savoir déjà ?

Surprise par le ton sarcastique sur lequel elle avait prononcé ces mots, Alice se renfrogna.

— Mis à part ce que j'ai entendu de votre dispute, répondit-elle, oui, je suis sûre de ne pas le savoir.

Sheri se redressa pour s'asseoir sur le lit, serrant un oreiller contre son ventre. Reniflant abondamment et évitant de croiser le regard d'Alice, elle commença à expliquer :

— Jeff pense que... il suggère que nous... que nous pourrions peut-être... confier notre...

Sheri ferma les yeux et secoua la tête, de nouvelles larmes au coin des paupières.

— Confier votre bébé à des parents adoptifs... C'est ça ? demanda Alice.

— Comment peut-il même penser une telle chose ! s'exclama Sheri, les yeux écarquillés. S'il m'aimait vraiment, cela ne lui viendrait pas à l'idée. S'il m'aimait vraiment, il ferait ce que tout homme digne de ce nom doit faire : il m'épouserait !

Alice prit le temps de rassembler ses idées. Elle ne pouvait maquiller la vérité uniquement parce que Sheri n'était pas prête à l'entendre. Cela n'aurait pas été lui rendre service. Professionnellement et humainement parlant, elle avait une responsabilité envers ces deux jeunes gens.

— Tu es injuste envers Jeff, commença-t-elle prudemment. Se marier, fonder une famille sont des décisions difficiles à prendre, qui nécessitent bien plus que de l'amour. Il faut y réfléchir mûrement et...

— Je savais que vous diriez cela ! s'emporta-t-elle en assenant un violent coup de poing au matelas. Inutile de continuer à prétendre être mon amie. Je sais à présent de quel côté vous êtes...

Alice se leva d'un bond, atteinte de plein fouet par la fureur de l'adolescente. Le premier effet de surprise passé, une saine colère commençait à monter en elle. Pour ne pas risquer de prononcer des paroles qu'elle aurait plus tard à regretter, elle compta mentalement jusqu'à dix et reprit calmement :

— Je suis ton amie, Sheri. Je suis de ton côté et je me soucie de toi. Je me sens concernée par ton avenir. Je t'aiderai de toutes les manières possibles, et si cela doit passer par une franche discussion...

— Dites vous aussi que vous êtes en faveur de l'adoption ! coupa-t-elle avec véhémence. Dites-le donc !

— Je pense en effet que l'adoption offre une solution intéressante. Mais je ne ferai jamais pression sur toi pour te convaincre de faire quelque chose que tu réprouves. Tu devrais me connaître assez pour le comprendre...

Croisant les bras et fixant le mur droit devant elle, Sheri se cantonna dans un silence buté. Sachant que poursuivre cette conversation dans ces conditions ne les mènerait nulle part, Alice tourna les talons et se dirigea vers la porte.

— Laisse-moi te dire encore une chose, lança-t-elle une fois sur le seuil. Que tu veuilles l'entendre ou pas, c'est mon rôle de te dire que tu n'as pas le droit de faire à Jeff un chantage au mariage... Ce ne serait ni juste ni prudent, et vous pourriez l'un comme l'autre le regretter. Vous marier pour garder cet enfant et lui donner une famille doit être une décision mûrement réfléchie, prise en toute indépendance et en toute connaissance de cause. Je te suggère d'y réfléchir...

Prostrée sur son oreiller, l'adolescente lutta un long moment contre la force de ses émotions. Finalement, elle redressa la tête et fusilla Alice d'un regard noir.

— Je me fiche pas mal de ce que vous ou n'importe qui d'autre pouvez penser... Jamais je n'abandonnerai mon bébé ! Je l'aime et je compte bien le garder quoi qu'il arrive...

Le cœur serré, Alice hocha la tête.

— Si c'est ta décision, conclut-elle, je te soutiendrai. Mais je ne te permettrai pas de la prendre à la légère. Je t'aime trop pour cela.

Sheri recommença à pleurer. Alice hésita à aller la consoler, puis comprit qu'aussi longtemps qu'elle serait dans cet état d'esprit il valait mieux la laisser en paix. Elle la connaissait suffisamment pour savoir qu'aussitôt calmée elle prendrait en compte ce qu'elle refusait d'entendre pour le moment.

— Si tu as besoin de quoi que ce soit, lança-t-elle simplement, n'hésite pas à m'appeler.

La jeune fille ne lui répondit pas, et Alice sortit de la pièce en refermant la porte derrière elle.

Assis à son bureau dans la quiétude de sa maison silencieuse, Hayes relisait pour la troisième fois sans le comprendre un article de loi qui lui donnait du fil à retordre. Cela ne lui ressemblait guère, songea-t-il, en proie à un agacement croissant. En théorie comme en pratique, il était homme à aller droit au but. C'était d'ailleurs l'une des caractéristiques qui faisaient de lui le bon avocat qu'il était.

Pourtant, dernièrement, dans sa vie privée comme dans sa vie professionnelle, il ne pouvait se vanter d'avoir fait preuve de son discernement et de sa détermination habituels. Et il se connaissait suffisamment bien pour savoir que ses retrouvailles avec Alice en étaient la cause…

Depuis leur dernière conversation, il n'avait cessé d'osciller entre la certitude qu'il avait pris la bonne décision douze ans auparavant et la crainte d'avoir commis l'erreur de sa vie. Quand il arrivait à se convaincre qu'il n'y avait aucune place pour elle dans son existence, ce n'était que pour se persuader l'instant d'après qu'il aurait dû tout sacrifier pour pouvoir vivre à ses côtés.

Avec un soupir exaspéré, Hayes referma d'un claquement sec l'épais livre de lois et marcha jusqu'à la fenêtre. Dans le ciel sombre, la lune semblait se moquer de lui et de ses malheurs. Dégoûté de lui-même, il passa une main nerveuse dans ses cheveux et songea que l'âge ne l'arrangeait guère. A bientôt quarante ans, voilà qu'il se retrouvait empêtré dans des problèmes d'adolescent incertain de ses sentiments et du sens à donner à sa vie…

Dans son dos, la porte de son bureau s'ouvrit, mais il ne se retourna qu'en entendant son fils lancer d'une voix posée :

— J'ai besoin de te parler.

Jeff se tenait debout dans l'encadrement de la porte, raide comme la justice, le visage empreint d'une absolue détermination. Son fils, songea Hayes avec une ironie amère, ne connaissait pas les mêmes dilemmes que lui. Dans ce domaine-là, au moins, ils semblaient avoir échangé leurs rôles.

— Entre, répondit-il en lui indiquant le fauteuil installé devant son bureau. Assieds-toi.

— Merci, mais je préfère rester debout.

Impressionné malgré lui, Hayes hocha la tête d'un air pensif. Jeff ressemblait plus à un homme qu'au garçon qu'il avait toujours connu et aimé. Comprenant que l'instant était grave, il regagna son bureau et enleva ses lunettes de lecture pour les ranger soigneusement dans leur étui. Quand ce fut fait, il croisa les doigts devant lui et fixa son fils.

— Je t'écoute.

— La nuit de la tempête, commença-t-il en pointant le menton d'un air de défi. Après notre dispute… Je suis allé jusqu'au pont. Celui où maman s'est tuée…

Réduit au silence, Hayes fixa son fils intensément. Si Jeff l'avait informé qu'il lisait ses pensées, il n'aurait pas été plus choqué... Ils parlaient si rarement d'Isabel, tous les deux, qu'il ne pouvait se rappeler la dernière fois où ils l'avaient fait.

— Je ne sais pas quoi te dire..., murmura-t-il enfin.

Campé sur ses jambes, Jeff croisa les bras et reprit :

— Tu penses qu'elle s'est suicidée, n'est-ce pas ?

A peine proférés, ces mots semblèrent flotter entre eux, corrompant l'atmosphère de leur signification menaçante.

— Où as-tu été pêcher une idée pareille ? protesta Hayes. Les enquêteurs ont conclu que la mort de ta mère était...

— ... accidentelle. Je sais.

Jeff contempla le parquet un moment avant de chercher de nouveau le contact avec ses yeux. Dans les siens, Hayes découvrit une maturité bien peu en rapport avec ses dix-huit ans.

— J'ai des oreilles pour entendre, papa... Les autres membres de la famille... Les enfants à l'école... A six ans, j'ai entendu tante May chuchoter qu'elle ne croyait pas à la thèse de l'accident.

Mentalement, Hayes maudit la langue trop bien pendue de la tante May, le penchant du genre humain pour le commérage, et le fait de n'avoir pu protéger son petit garçon de leurs effets ravageurs.

— Jeff... Que désires-tu savoir exactement ?

— Je veux connaître la vérité...

Comme sur un écueil, sa voix s'était brisée sur ce dernier mot. Jeff dut prendre le temps de se ressaisir avant de pouvoir conclure :

— Dis-moi la vérité... Maman a-t-elle voulu oui ou non mettre fin à ses jours ?

Incapable de soutenir plus longtemps son regard suppliant, Hayes se dressa sur ses jambes et regagna la fenêtre. Le paysage fantomatique du parcours de golf baigné par la lune ne lui fut d'aucun secours. Grand Dieu ! Qu'était-il censé répondre ? Qu'aurait-il pu dire à son fils pour apaiser ses craintes et ne pas le faire souffrir ? D'un geste machinal, il appuya son poing fermé contre la vitre froide et sut qu'il ne pourrait pas mentir à Jeff.

Tant qu'il lui en restait la force, Hayes fit volte-face pour se confronter à son fils. La lueur d'espoir qu'il vit passer dans son regard lui fendit le cœur et ne fit que lui rendre la tâche plus difficile.

— J'ai toujours soupçonné que ta mère avait voulu se suicider, dit-il. Mais je n'ai jamais pu en avoir la certitude.

Jeff accusa le choc. Son visage se tordit de douleur l'espace d'une seconde, avant qu'il ne reprenne le contrôle de ses émotions. Hayes se sentit porté par un élan de tendresse vers lui. Soudain, il eut envie de le serrer dans ses bras, de lui dire qu'il avait le droit d'être triste, d'avoir mal, de se sentir trahi. Pourtant, comme pétrifié sur place, il lui fut impossible d'esquisser le moindre geste vers lui.

— Pourquoi ? demanda celui-ci d'une voix brisée par l'émotion. Pourquoi a-t-elle fait ça ?

— Je ne sais pas. Elle était malheureuse, déprimée. Je n'ai rien pu faire pour l'aider. Pourtant j'ai essayé…

— Elle ne m'aimait pas.

Bien qu'il ait prononcé ces mots avec désinvolture, Hayes comprit qu'il fallait à Jeff tout son courage pour ne pas s'écrouler. Il admirait son fils autant qu'il souffrait pour lui. Il en avait toujours été ainsi, même s'il ne le lui avait jamais montré. Il avait toujours craint que s'il se laissait aller à le plaindre, à s'apitoyer sur son sort, son petit garçon ne devienne jamais un homme fort et sûr de lui.

Au prix d'un gros effort, Hayes parvint enfin à faire un pas vers son fils, une main tendue vers lui.

— Ce n'est pas vrai, dit-il avec autant d'assurance qu'il le put. Elle t'aimait beaucoup. Je me rappelle le jour où elle a appris qu'elle était enceinte. Elle ne touchait plus terre tellement elle était excitée…

Cette fois, ce fut au tour de Jeff de se détourner de lui pour aller se planter devant la fenêtre.

— Pas la peine de masquer la vérité, marmonna-t-il sans se retourner. Je ne suis plus un gamin. Tu sais ce que l'on disait dans la famille, quand on pensait que j'avais le dos tourné ? « Pauvre petit Jeff… Comment sa mère a-t-elle pu ne pas l'aimer ? »

De nouveau, Hayes maudit en son for intérieur les langues de vipère incapables d'imaginer le mal qu'elles pouvaient répandre autour d'elle.

— Les gens parlent, rétorqua-t-il sèchement. La belle affaire… Ils n'ont pas besoin de savoir quoi que ce soit pour cela. Il leur suffit de croire qu'ils possèdent la vérité et de s'écouter parler.

Les mains croisées derrière le dos, Jeff se retourna et laissa éclater un rire amer.

— Tu n'arriveras pas à me convaincre. Tu l'ignores sans doute, mais je garde des souvenirs de ma mère. Ils sont rares, mais leur rareté ne les rend que plus nets… Je me rappelle l'avoir regardée aller et venir autour de moi pendant des heures… désirant… désirant si fort qu'elle vienne à moi… qu'elle me prenne dans…

Sans achever sa phrase, Jeff leva le visage vers le plafond. Hayes comprit à quel point il luttait pour se reprendre et sentit de nouveau poindre en lui un urgent besoin de le consoler. Quand il baissa les yeux pour soutenir le regard de son père, ils brillaient de larmes contenues.

— Rends-toi à l'évidence, papa... Si elle nous avait vraiment aimés, l'un ou l'autre, elle n'aurait pas pu faire ce qu'elle a fait. Elle ne nous aurait jamais laissés ainsi, avec ce doute... Je n'ai pas raison ?

Faute de pouvoir répondre, Hayes tenta d'avaler la grosse boule d'angoisse qui lui bloquait la gorge. Plus que jamais, il se sentait impuissant à donner les bonnes réponses à son fils — à supposer qu'elles aient pu exister...

— Ce n'est pas qu'elle ne nous aimait pas, hasarda-t-il d'une voix incertaine. Mais elle était trop en guerre, contre elle-même et contre le monde entier. Le suicide est un acte égoïste. Je suis persuadé que son geste — à supposer qu'elle se soit suicidée — n'avait rien à voir avec nous.

En prononçant ces mots, Hayes se rendit compte avec étonnement qu'il y croyait. Lorsque Isabel était morte, il avait consulté un psychothérapeute durant quelque temps. Ce qu'il venait de dire à son fils pour le consoler était alors sorti des lèvres de ce spécialiste, non des siennes... A l'époque, ces mots n'avaient fait que le traverser sans avoir sur lui la moindre emprise. Mais aujourd'hui, il voyait à quel point ils étaient justes et lui procuraient un soulagement intense. *La mort de sa femme n'avait rien à voir avec lui...*

Quelque chose, au fond de lui, se redressa, se réchauffa, s'épanouit. Il eut la sensation, pour la première fois depuis très longtemps, de respirer tout à fait librement.

— Qui plus est, reprit-il avec un regain d'énergie, je me trompe peut-être en privilégiant la version du suicide. Ta mère avait certes un comportement autodestructeur, mais cela ne suffit pas à prouver qu'elle a voulu mettre fin à ses jours. Elle n'a jamais menacé de se suicider. Elle n'a rien laissé derrière elle pour expliquer son geste.

J'ai pu interpréter sa mort parce que je n'arrivais pas à la comprendre...

— Comment cela ? railla Jeff avec un ricanement. Le grand Hayes Bradford pris en défaut ? Ce serait une première !

Hayes tressaillit, surpris et blessé par le sarcasme de son fils. Sachant qu'il était peut-être déjà trop tard, il se força cette fois à rejoindre Jeff près de la fenêtre.

— Ai-je été aussi arrogant ? demanda-t-il en le fixant droit dans les yeux. Me suis-je montré si inflexible ?

— Papa..., répondit-il en soutenant son regard sans ciller. Je vais demander à Sheri de m'épouser.

Hayes se figea sur place, les yeux ronds.

— Quoi ?

— Toute ma vie, expliqua Jeff avec assurance, tu m'as appris qu'on reconnaît un homme à ses actions. Tu m'as enseigné qu'en toute circonstance un homme digne de ce nom doit se comporter de manière noble et responsable. A présent que j'ai l'occasion de mettre en pratique ces beaux préceptes, ce n'est tout de même pas toi qui vas me le reprocher ? Je ne fais qu'assumer les conséquences de mes actes. Sheri est enceinte par ma faute, je l'épouse...

Accablé, Hayes secoua longuement la tête avant de pouvoir enfin protester d'une voix faible :

— Ne fais pas ça, fils... Tu le regretterais toute ta vie.

— Comme toi tu as regretté ton mariage ?

Jeff se mit à rire aux éclats, d'un rire forcé et sans gaieté.

— Désolé, papa..., conclut-il. Ma décision est prise. Je sais à présent ce que je dois faire et je le ferai.

— C'est toute ta vie que tu engages ! Te marier trop jeune la changera pour toujours. Je te conjure de...

Comprenant à son expression sarcastique qu'il ne parviendrait pas à convaincre son fils, Hayes se tut et chercha désespérément un moyen de lui éviter l'erreur qu'il s'apprêtait à commettre. Avant d'avoir pu peser ses paroles, il s'entendit lancer d'une voix sifflante :

— Je ne te laisserai pas tomber dans ce piège. Je t'interdis de l'épouser.

Jeff eut un petit sourire triste et désabusé.

— L'éternelle histoire... Tu commandes et j'obéis. Désolé. Cela ne marche plus. De toute façon, tu n'as rien compris. Il n'y a pas de piège. J'aime Sheri. Elle m'aime aussi. Elle a besoin de moi et je veux l'épouser.

Hayes laissa échapper une exclamation de dépit.

— Très bien ! lança-t-il avec rage. Epouse-la. En dépit de ce que tu penses, je n'ai rien contre elle. Tout ce que je te demande, c'est de ne pas te précipiter. Tu es trop jeune, et elle aussi. Tu dois d'abord finir tes études. Tu as toute la vie devant toi...

— Je ne vois pas de contre-indication entre le mariage et les études... Cela ne m'empêchera pas d'aller à l'université, d'obtenir mes diplômes et...

— Foutaises ! s'impatienta Hayes. Se marier, fonder une famille occasionnent de pesantes et très prenantes responsabilités. Un bébé a sans cesse besoin de soins, de nourriture, de couches, de chaussures. Il tombe malade sans arrêt, dort mal et gâche les nuits de ses parents. Comment Sheri fera-t-elle pour mener de front un travail et son enfant ? A moins que tu n'envisages d'étudier le jour et de travailler à plein temps la nuit ? Et si c'est Sheri qui travaille, à dix-sept ans, quel genre de job trouvera-t-elle qui permette de rapporter suffisamment d'argent pour nourrir toute une famille ?

Durant cette tirade, Jeff avait pâli, ses épaules s'étaient affaissées. Quand son père se tut, il se redressa et soutint son regard d'un air de défi.

— Je sais que nous pouvons le faire, s'entêta-t-il. Inutile d'insister, papa. J'épouserai Sheri quoi que tu en dises.

Sans manifester la moindre réaction, Hayes hocha la tête lentement.

— Comme tu voudras…, lâcha-t-il enfin d'un air résigné. Tu décides tout seul, tu assumes tout seul. Je ne financerai pas tes études à Georgetown. Et je suis encore moins décidé à assurer la subsistance de ta famille.

— Du chantage à présent ! s'exclama Jeff dans un rire sans joie. C'est tout ce que tu as trouvé… Je ne peux pas croire que tu puisses être tombé aussi bas. Ou plutôt, de ta part cela ne m'étonne pas du tout…

— Si c'est le seul moyen de t'obliger à regarder la réalité en face, rétorqua Hayes sèchement, alors oui.

Les poings serrés, la mâchoire contractée, Jeff fit un pas en avant pour venir le défier presque nez à nez.

— Tu n'as jamais voulu mon bonheur ! Tu ne supportes pas que je sois aimé…

Anéanti que son fils puisse lui faire un tel reproche, plus choqué encore par la conviction qui l'animait, Hayes recula d'un pas.

— Tu… tu es mon fils, balbutia-t-il. Je veux ton bonheur plus que tout au monde.

Avec un haussement d'épaules, Jeff tourna les talons. Pour l'empêcher de partir, Hayes le retint par le bras.

— Jeff… Ecoute moi. Je n'ai jamais…

— J'en ai soupé de t'écouter !

134

D'une brusque secousse, il se libéra de l'emprise de sa main et le fusilla du regard, lâchant d'une voix tranchante comme le fil d'une épée :

— Ne t'imagine pas que parce que tu n'as pas su rendre ta femme heureuse j'en serai incapable moi aussi !

7.

Assis dans sa voiture garée devant le Foyer de l'Espoir, Hayes remua ses doigts engourdis d'avoir trop serré le volant. Deux jours s'étaient écoulés depuis que son fils et lui s'étaient disputés, mais il ne parvenait pas à se sortir de la tête les terribles accusations que Jeff avait portées contre lui. Tout comme il se sentait incapable de sortir de l'état de fragilité émotionnelle dans lequel cette scène l'avait plongé.

Une nouvelle fois, son regard balaya la façade du Foyer illuminée de fenêtres éclairées, qui se faisaient plus rares de minute en minute. Ces jours-ci, tout le ramenait à Alice, à leur passé commun, à ce qu'il ressentait auprès d'elle, à cette attente anxieuse qui ne le quittait que lorsqu'il était à ses côtés.

Les mots assassins de son fils tournaient en boucle sous son crâne. *Ne t'imagine pas que parce que tu n'as pas su rendre ta femme heureuse j'en serai incapable moi aussi !* Hayes jura entre ses dents. A quel moment Jeff avait-il développé une telle perspicacité ? Depuis quand était-il capable de sonder l'âme et le cœur de son père pour deviner ce qui le tourmentait ?

Car naturellement, il ne pouvait pas lui donner tort. Tout comme il avait échoué à rendre son fils heureux, il s'était

136

montré incapable de faire le bonheur d'Isabel. Pourtant, nul mieux que lui n'aurait pu savoir qu'il aimait Jeff plus que tout au monde. Pour quelle raison, dès lors, ne parvenait-il pas à lui manifester son amour ?

La réponse s'imposait d'elle-même. Une fois encore, elle le remplit d'impuissance et de désespoir. Même si ce n'était pas pour lui plaire, il lui fallait reconnaître que pour une raison ou pour une autre il était un homme froid, incapable d'exprimer ses émotions et sentiments, voire d'en ressentir...

Dieu lui était pourtant témoin qu'il avait essayé... Et chaque fois qu'il n'avait pu que constater son échec, il en avait conçu autant de désespoir que de regrets. Il détestait ce désarroi, cette solitude morale, qui faisait de lui une moitié d'homme. Un homme amputé de la partie sensible de sa personne et donc incapable de prendre en mains sa destinée et d'assurer le bonheur de ceux qui comptaient le plus à ses yeux.

Un frisson le traversa au souvenir de la nuit où Alice avait perdu leur bébé. Jamais autant qu'au cours de ces heures terribles il ne s'était senti aussi désarmé, aussi impuissant — incapable de sauver ce petit être condamné, de soulager la souffrance de la femme qu'il aimait, et encore plus de la consoler...

Cette nuit d'horreur avait été la pire qu'il eût jamais vécue. Assailli par un torrent d'émotions plus terribles les unes que les autres, il avait été incapable d'en exprimer une seule. C'était à se demander si sa capacité à extérioriser sa souffrance n'était pas inversement proportionnelle à celle-ci.

Hayes se renfonça dans son siège, les bras tendus et les mains posées sur le volant, luttant contre le flot de colère qui menaçait de l'engloutir. A son âge, après toutes les épreuves qu'il lui avait fallu traverser, comment pouvait-il vivre à ce point coupé de ses émotions ?

Machinalement, son regard se reporta sur la façade du Foyer. Dans le petit parking, seule la voiture d'Alice restait encore garée. Sans peine, il l'imaginait dans son bureau, tellement occupée à sauver la mise d'un de ses protégés qu'elle en oubliait l'heure. Un sourire désabusé flotta sur ses lèvres. Elle avait toujours eu un grand cœur, une tendance naturelle à la compassion, qui ne faisait qu'accentuer encore le gouffre qui les séparait. Du temps de leur union, ils constituaient le couple le plus mal assorti qui se puisse imaginer. Douze ans plus tard, dans ce domaine rien ne semblait avoir changé.

Dans ce cas, conclut-il pour lui-même, que faisait-il là, aussi timide et impatient qu'un adolescent énamouré, la tête pleine d'images, de souvenirs et de pensées qui le ramenaient inévitablement vers elle ? N'avait-il pas déjà fait la preuve qu'il était incapable de la rendre heureuse, elle aussi, de lui offrir ce qu'elle attendait ?

Une nouvelle fenêtre s'obscurcit, puis une autre, et une autre encore, jusqu'à ce que plus aucune lumière ne brille dans la façade du Foyer. Alors seulement, Hayes se demanda de quelle manière il allait pouvoir aborder Alice avant qu'elle ne rejoigne sa voiture. Une minute s'écoula avec une lenteur éprouvante. Puis deux, puis cinq.

Quand dix minutes eurent passé sans que personne n'émerge sur le perron, Hayes fut saisi par un sombre pressentiment. Soudain, il eut la certitude que quelque chose clochait et qu'Alice était en danger, qu'elle devait avoir besoin de lui. Avec un haussement d'épaules, il repoussa cette idée alarmiste mais n'en quitta pas moins son véhicule pour rejoindre à grandes enjambées la porte d'entrée.

Celle-ci était entrouverte et le hall était plongé dans l'obscurité, ce qui ne fit que renforcer ses craintes. La peur se substitua au malaise dans son esprit. Un flot d'adrénaline se déversa dans ses veines. En pénétrant dans le bâtiment, Hayes secoua la tête et tenta de se raisonner. Alice allait bien. Il allait la trouver plongée dans un dossier et ne ferait que l'alarmer en débarquant à l'improviste dans son bureau.

D'autant plus qu'à en juger d'après leur dernière conversation, songea-t-il avec amertume, elle ne risquait pas de l'accueillir avec un sourire de bienvenue... Il pourrait s'estimer heureux s'il elle ne le fichait pas dehors en lui jetant un livre à la tête ! Mais au moins, ses doutes seraient levés et il pourrait repartir furieux mais la conscience tranquille.

Le cœur battant, Hayes se fraya un chemin à tâtons dans les locaux déserts et plongés dans le noir. Au rai de lumière que laissait passer la porte entrouverte, il finit par trouver le bureau d'Alice et s'en approcha à pas feutrés.

Juste au moment où il s'apprêtait à cogner contre le battant pour s'annoncer, il entendit un petit cri de frayeur et sentit ses cheveux se dresser sur sa nuque. Un objet chuta lourdement sur le sol. Puis il entendit crier à nouveau et reconnut la voix d'Alice étouffée comme si une main s'était posée sur sa bouche. Une voix d'homme proféra à mi-voix une obscénité.

Tous les sens en alerte, Hayes dut résister à son impulsion première de se précipiter au secours d'Alice. La prudence commandait de se montrer moins impulsif. Le moindre faux pas de sa part pouvait se révéler fatal.

Avec une lenteur éprouvante, il se pencha vers la porte entrebâillée. Une lame du parquet grinça sous son poids. Le cœur battant la chamade, il se figea un instant, avant de se remettre en mouvement. Et quand il parvint à glisser prudemment la tête à l'intérieur, un vent de panique se mit à souffler en lui.

Hayes retint de justesse un cri de colère et de stupeur. Renversée sur son bureau, Alice subissait l'assaut d'un jeune homme qui se pressait contre elle, pointant sur sa gorge la lame d'un cran d'arrêt. Le visage livide, elle fixait sur son agresseur des yeux écarquillés de terreur. La pointe du couteau marquait une fossette dans la chair tendre et pâle. Un geste impulsif de l'assaillant, et il serait trop tard...

Comprenant qu'il n'avait pas d'autre choix, Hayes repoussa la porte de manière à pouvoir pénétrer dans la pièce, au risque de la faire grincer. Par bonheur, celle-ci pivota sur ses gonds sans le moindre bruit. Avec un soulagement intense, il s'introduisit dans le bureau et remarqua alors seulement le désordre qui y régnait.

Le fauteuil était renversé. Livres et dossiers étaient répandus sur le sol, ainsi que la lampe et le téléphone. Plus inquiétante était la grande marque rouge sur la joue d'Alice. Mais les griffes qui sillonnaient les bras de son agresseur prouvaient qu'elle ne s'était pas laissée faire sans combattre.

Par chance, celui-ci tournait le dos à la porte et ne put surprendre l'approche de Hayes. D'une voix pâteuse, il ne cessait de pester et de divaguer, alternant mots doux et menaces, accentuant puis relâchant la pression de son arme. Hayes comprit avec consternation qu'il n'était pas dans son état normal et devait agir sous l'empire de la drogue. Dans son délire, il pouvait tout aussi bien trancher la gorge d'Alice à tout instant sans même s'en rendre compte...

Hayes fit un nouveau pas vers le bureau. Alice, qui venait de l'apercevoir, ne put s'empêcher de trahir son soulagement. A cet instant, Hayes s'apprêta à bondir, craignant que le jeune homme s'aperçoive de sa réaction et se retourne. Avec une présence d'esprit surprenante, elle dut le comprendre car elle s'adressa à lui d'une voix tremblante mais déterminée pour faire diversion.

— Ne fais pas ça, Tim… Je t'en prie, pense à…

— La ferme ! hurla-t-il. Si tu la fermes pas, j'te bute ! Je jure que j'le ferai…

Comme pour prouver qu'il ne plaisantait pas, Tim accentua la pression de son cran d'arrêt, dont la pointe fit perler une goutte de sang sur la peau blanche d'Alice. Son visage se crispa de douleur. Deux grosses larmes jaillirent au coin de ses paupières closes. Sans hésiter plus longtemps, Hayes plongea en avant, s'agrippa aux cheveux du jeune homme et le tira violemment en arrière.

Avec un cri de protestation et de douleur, celui-ci s'effondra contre lui, l'envoyant valser contre un mur. La tête de Hayes cogna violemment contre la cloison de plâtre décrépite, faisant pleuvoir sur sa tête un nuage de poussière qui l'aveugla momentanément. Tim en profita pour se dégager.

Voyant qu'Alice s'apprêtait à saisir le téléphone, il se précipita vers elle la lame en avant. Hayes plongea pour l'arrêter, mais au moment où il allait mettre la main sur lui, Tim fit un brusque demi-tour, cherchant à l'atteindre de son arme d'un moulinet du bras.

Avec un cri d'horreur, Alice porta ses deux mains à sa bouche. Chancelant, la main pressée contre son flanc où fulgurait une douleur cuisante, Hayes recula d'un pas. Sans demander son reste, Tim se rua comme une flèche hors du bureau.

Trop faible sur ses jambes pour se lancer à sa poursuite, Hayes prit appui contre le mur et tenta d'un sourire de rassurer Alice qui se précipitait vers lui.

— Hayes…, gémit-elle en s'accrochant à ses mains. Hayes ! Mon Dieu… Tu n'as rien ?

Hayes prit une profonde inspiration, qui lui fit du bien et lui éclaircit les idées. Son inquiétude lui permit d'oublier sa douleur pour se concentrer sur elle.

— Est-ce qu'il t'a fait mal ? murmura-t-il. Es-tu blessée ?

Les larmes ruisselant le long de ses joues, Alice secoua longuement la tête.

— Il n'a pas eu le temps…, répondit-elle d'une voix tremblante. Mais si tu n'étais pas arrivé…

Incapable de conclure, Alice frissonna de la tête aux pieds. Comme pour s'assurer lui-même qu'elle n'avait rien, Hayes fit courir ses doigts le long du visage et du cou d'Alice. Avec ferveur et reconnaissance ses lèvres prirent le relais pour parcourir son front, ses paupières, ses joues, son nez.

— Si quoi que ce soit t'était arrivé…, reprit-il en nouant ses doigts dans ses cheveux. Je ne crois pas que j'aurais pu…

Laissant sa phrase en suspens, Hayes l'attira entre ses bras et la serra longuement contre lui. A présent qu'elle était sauve et ne risquait plus rien, l'horreur de ce qui aurait pu advenir le frappait de plein fouet.

— J'aurais pu te perdre…, gémit-il en enfouissant son visage dans ses cheveux. Seigneur Dieu ! J'aurais pu…

Alice prit son visage entre ses mains, le fixa droit dans les yeux et assura d'une voix ferme :

— Tu ne m'as pas perdue. Je suis là.

Hayes s'empara de ses lèvres avec un gémissement de contentement et l'embrassa ardemment, désespérément, comme si ce baiser devait être le dernier. Alice le lui rendit avec la même ardeur possessive, ancrant ses doigts dans les mèches de ses cheveux.

Elle tremblait de tous ses membres, tout comme lui. Incapable de se rassasier de son contact, il laissait ses mains courir le long de son corps offert à ses caresses. Ce n'était pas tant le désir qui l'animait que la volonté de s'assurer encore une fois qu'elle n'était pas blessée, qu'elle était bien là, avec lui. La laisser lui échapper lui paraissait inconcevable — maintenant et à jamais.

Enfin, Hayes parvint à mettre fin au baiser. Sa bouche remonta le long de la joue d'Alice pour aller murmurer au creux de son oreille des mots de tendresse et de soulagement. A la base de son cou, où la lame d'acier avait failli s'enfoncer, il découvrit avec émotion sous ses lèvres la légère et précieuse pulsation de son pouls. Le souvenir du péril auquel elle venait par miracle d'échapper le submergea d'un coup. S'il n'avait pas eu l'envie irrépressible ce jour-là de passer la voir à son bureau, il aurait fort bien pu la perdre et ne plus jamais pouvoir la serrer entre ses bras…

Afin de la contempler tout à son aise, Hayes se recula légèrement. Bien des émotions complexes se bousculaient en lui, qu'il aurait été une fois de plus incapable d'exprimer. Tendrement, il se contenta de repousser ses cheveux pour dégager son visage blême, essayant de révéler par ses yeux tout ce que par la voix il ne parvenait pas à exprimer.

— Je vais bien…, assura-t-elle avec un pâle sourire. Je t'assure que je vais bien.

Alice éleva les mains et les posa contre la poitrine de Hayes. Sous ses paumes, elle découvrit son sweater trempé et baissa les yeux pour s'apercevoir avec horreur qu'elles étaient rouges de sang.

— Mon Dieu, Hayes…, gémit-elle. Tu es… tu es blessé !

Son visage refléta une profonde surprise. Comme s'il ressentait la douleur pour la première fois depuis que la lame avait entaillé sa chair, il porta la main à son flanc.

S'écartant d'un pas, Alice découvrit alors que tout le devant du sweater de Hayes était détrempé de sang. Son propre chemisier, suite à leur étreinte, était largement maculé de rouge.

Alice se mit à trembler de manière incontrôlable. Tim avait bien failli le tuer, réalisa-t-elle soudain. Il avait même failli les tuer tous les deux. Avec un luxe de précautions, elle explora la déchirure du sweater et de la chemise et découvrit avec soulagement que la blessure ne paraissait pas profonde.

Hayes glissa son index sous son menton et l'incita à le regarder.

— Ça va aller…, assura-t-il avec un mince sourire.

Elle fit de son mieux pour lui rendre son sourire mais échoua misérablement.

— Tu as beau faire le fanfaron, dit-elle, tu n'es rien qu'un avocat, plus habitué aux combats de prétoires qu'aux combats de rue…

Grimaçant de douleur, Hayes ferma les yeux et posa sa tête contre le mur.

— On voit que tu ne m'as jamais vu à l'œuvre…, rétorqua-t-il d'une voix faible. Certaines plaidoiries peuvent être plutôt… saignantes !

Alice fit mine de s'amuser de la plaisanterie. Elle savait combien il était important pour lui de rester fort. Mais à le voir grimacer et pâlir, elle comprenait que, le premier choc passé, il ne pouvait plus ignorer sa douleur.

— Je vais jeter un coup d'œil à ta blessure, annonça-t-elle en s'approchant de lui. Accroche-toi…

Tout doucement, elle releva le sweater et le fit passer par-dessus sa tête. Avec plus de douceur encore, elle déboutonna la chemise et la fit glisser de ses épaules. La vue de la plaie ouverte qui s'étirait de la naissance des côtes à la ceinture de son jean la fit tiquer. De la balafre suintait encore pas mal de sang. Du bout des doigts, elle en explora les contours, ce qui le fit tressaillir.

— Je suis désolée…, gémit-elle en se redressant pour lui caresser la joue. Tout est ma faute.

— Arrête ! protesta-t-il. Ce n'est pas toi qui as…

Pour le faire taire, elle effleura ses lèvres des siennes.

— C'est ma faute si tu as été blessé, insista-t-elle. Et j'en suis vraiment, vraiment désolée…

Contre sa joue, Hayes couvrit les doigts d'Alice avec les siens qui tremblaient légèrement.

— Ce n'est qu'une blessure superficielle, reprit-il. Juste assez profonde pour saigner en abondance et faire un mal de chien.

Alice amena ses doigts jusqu'à sa bouche pour les embrasser.

— Où as-tu appris à être si brave ?

— J'ai ça dans le sang.

— Grâce à ton père ?

Hayes hocha la tête d'un air amusé.

— Sans doute. Mais les héros de dessins animés de mon enfance n'y sont pas pour rien non plus…

Alice secoua la tête en souriant. Comment pouvait-il prendre les choses avec tant de légèreté, lui qui se montrait habituellement si sérieux ?

— Viens…, conclut-elle en l'entraînant par la main. Il y a une trousse de première urgence dans la salle de bains.

Lorsqu'ils y furent parvenus, Hayes prit appui sur une commode pendant qu'elle déballait antiseptique et bandages.

Muni d'un tampon de coton, elle s'accroupit devant lui et leva les yeux pour prévenir :

— Ça va sans doute faire mal...

Les lèvres de Hayes se retroussèrent en une grimace comique.

— J'avais comme un pressentiment que tu allais me dire ça !

Travaillant méthodiquement pour nettoyer la plaie, Alice se mit à l'œuvre. Dieu merci, Hayes avait vu juste quant au caractère bénin de la blessure, qui ne nécessiterait pas de points de suture. Quand elle en eut terminé avec l'antiseptique, elle redoubla de prudence et de douceur pour fixer un bandage autour de son torse.

Alors qu'elle achevait de le mettre en place, il couvrit ses mains posées sur sa poitrine avec l'une des siennes. Surprise par son geste, Alice releva les yeux et leurs regards se verrouillèrent. Ils se tenaient parfaitement immobiles l'un et l'autre. Sous leurs mains jointes, elle pouvait sentir le battement sûr et régulier de son cœur.

L'odeur entêtante de l'antiseptique se mêlait à celle, plus entêtante encore, de la peau de Hayes. D'un doigt indolent, il lui caressa un sourcil, la courbe d'une pommette, le renflement de ses lèvres. Alice poussa un petit gémissement, soudain consciente que se traduisait ainsi avant tout son désir.

Les pointes de ses seins durcirent instantanément sous son corsage. Une douce et familière langueur se manifesta en haut de ses cuisses. D'instinct, elle s'arc-bouta pour mieux se prêter à ses caresses. Lentement, comme attirées d'elles-mêmes l'une par l'autre, leurs bouches se rapprochèrent, puis s'unirent. Furieusement, leurs langues s'accrochèrent.

Alice sentit son désir battre à ses tympans à un rythme effréné. Sa langueur se fit attente impérieuse et elle se coula contre lui de tout son corps. Mais avant qu'elle ait pu comprendre ce qui lui arrivait, Hayes sembla se reprendre et se recula. Pourtant, même si leurs lèvres étaient à présent séparées, les effets de ce baiser de désir, de tendresse et de réconciliation continuaient de se faire sentir.

Tout avait désormais changé entre eux. Elle le lut dans ses yeux comme elle devina qu'il pouvait le lire au fond des siens. Le danger mortel qu'ils avaient affronté ensemble avait tout changé. Certaines choses avaient subitement beaucoup d'importance, alors que d'autres qui paraissaient jusqu'alors insurmontables semblaient tout à coup sans objet.

— Il va falloir appeler la police sans tarder, murmura-t-il.

— Oui, approuva-t-elle à regret. Ainsi que Dennis, le directeur du Foyer.

Ils regagnèrent le bureau main dans la main. Alice, en pénétrant dans la pièce, ne put retenir un frisson. Le désordre qui y régnait constituait un cuisant rappel de la violence qu'elle avait eu à y subir.

Un nouveau frisson la secoua de la tête aux pieds et elle croisa frileusement les bras pour se réconforter.

— Je me demande si je pourrai un jour travailler de nouveau dans cette pièce.

Hayes s'empara de ses mains et les serra fort entre les siennes.

— Cela m'étonnerait, dit-il. Moi, il me semble que je me souviendrai de ce moment jusqu'à la fin de mes jours !

Alice soutint son regard durant une longue minute, avant de conclure dans un soupir :

— Je ferais mieux d'aller passer mes coups de fil.

Hayes lui lâcha les mains à regret, mais tout le temps que durèrent les communications téléphoniques, il ne la quitta pas des yeux un seul instant. Troublée, Alice sentit son regard peser sur elle de manière possessive. C'était comme s'il avait craint de la voir disparaître en détournant les yeux. Un frisson lui remonta l'échine, en partie provoqué par la peur, en partie par le désir.

Quand elle raccrocha, elle lui adressa un sourire contraint.

— Tu n'as pas à me couver des yeux ainsi, tu sais… Je vais bien. Vraiment bien…

Hayes secoua la tête d'un air las.

— Je le sais. Mais quand je repense à ce salaud penché sur toi, à sa lame posée sur ta gorge, je ne peux m'empêcher de…

— Arrête…, l'interrompit-elle. Tu sais comme moi que cela ne sert à rien d'y penser.

Mal à l'aise, elle serra frileusement ses bras contre elle et s'efforça de soutenir son regard insistant.

— La police ne va pas tarder à arriver, reprit-elle. Et Dennis va prévenir tout le reste de l'équipe, au cas où…

Alice frotta ses bras pour se réchauffer. Hayes lui tendit les siens.

— Viens ici, Alice…

Incapable de lui résister, elle marcha jusqu'à lui comme une automate et se réfugia au creux de ses bras avec le sentiment que rien au monde, à cet instant, n'aurait pu lui faire plus de bien. Avec reconnaissance, elle nicha son visage dans le creux de son cou.

— Ce garçon…, reprit Hayes en lui caressant les cheveux. C'est celui dont tu m'as parlé, n'est-ce pas ? Celui que vous avez dû exclure du Foyer…

Alice hocha la tête contre son épaule.

— C'était un cauchemar…, murmura-t-elle. Alors que je travaillais sur des dossiers en retard, il a surgi dans mon bureau. J'ai tout de suite compris qu'il n'était pas dans son état normal. Mais je pensais pouvoir l'aider. Je pensais… arriver à le raisonner, à lui parler. J'étais persuadée qu'il avait besoin de moi.

Alice laissa échapper un long soupir et poursuivit :

— Il était fou de rage. Il m'a dit des choses ignobles.

Hayes encadra son visage de ses mains pour l'amener à le regarder.

— Tu n'as pas à t'infliger cela, dit-il. Rien ne t'oblige à me parler, à me raconter…

— Au contraire, l'interrompit-elle. J'ai besoin d'en parler.

Comme si cela avait pu suffire à purger sa mémoire des images intolérables qui s'y attardaient, Alice ferma très fort les yeux.

— Quand j'ai enfin compris que je ne pourrais rien faire pour lui, il était déjà trop tard et Tim était hors de tout contrôle. J'ai essayé de fuir, mais c'est là qu'il m'a sauté dessus et menacée de son couteau.

— Le petit salaud ! s'écria Hayes, incapable de taire sa colère. Je n'aurais pas dû le laisser s'en tirer à si bon compte. Je devrais peut-être me lancer à sa poursuite… Si tu me dis où j'ai une chance de le trouver, même blessé je peux encore lui mettre la main dessus.

— Pour risquer de te faire tuer, cette fois pour de bon ? s'alarma Alice en se redressant. Ne dis pas de bêtises… Promets-moi de ne pas jouer au héros, Hayes. Laisse la police faire son travail.

Sans se faire prier, il le lui promit et déposa sur ses lèvres un baiser pour se faire pardonner son accès d'héroïsme.

Rassurée, Alice se coula de nouveau dans l'abri très sûr de ses bras et reprit son récit.

— Il m'a traitée de garce hypocrite... Il m'a accusée d'être la cause de tous ses problèmes, d'avoir comploté pour obtenir son renvoi du Foyer. Mais le pire de tout, c'est que dans sa folie il était... si logique, si froid.

Hayes resserra l'emprise de ses bras autour d'elle.

— Ce qui justifie *a posteriori* son exclusion, Alice. C'est lui qui est à blâmer de cet échec. Pas toi...

— Je le sais, mais...

— Il n'y a pas de *mais*. Ce garçon, comme le prouve amplement sa conduite ce soir, a un sérieux problème qu'il va lui falloir régler ailleurs qu'ici. Il a eu sa chance et n'a pas su la saisir.

— Je le sais, répéta-t-elle. Ce n'est pas ce qui me pose problème.

Comme pour mieux se faire comprendre, Alice releva la tête et chercha le regard de Hayes.

— Ce qui me touche et me fait mal, reprit-elle, c'est qu'en dépit de tout ce que j'ai fait pour l'aider il puisse penser de moi de telles horreurs...

Les larmes qui s'accumulaient depuis un moment dans ses yeux jaillirent d'un coup de ses paupières.

— S'il te plaît, dis que tu me crois..., gémit-elle d'une voix suppliante. J'ai vraiment essayé de l'aider.

— Je te crois, Alice..., répondit-il en lui caressant les cheveux. Comment ne pas te croire ? Tu ne peux pas faire autrement qu'aider ceux qui souffrent autour de toi. On dirait que tu es née pour ça.

— Comme sauveur, on fait mieux ! railla-t-elle en essuyant ses pleurs d'un geste rageur. La première fois que j'ai reçu Tim en entretien, il était un adolescent perturbé accro à la drogue. Aujourd'hui, non seulement il n'a pas décroché et reste plus perturbé que jamais, mais en plus il est recherché par la police et risque d'aller moisir un moment en prison. J'ai fait du bon boulot, pas vrai ?

— Ce qui lui arrive n'est absolument pas ta faute mais la sienne. Tu ne pouvais rien pour lui. Il faut t'y résoudre...

Alice hocha la tête d'un air peu convaincu et se réfugia contre lui. Soudain alarmée, elle s'agrippa à ses épaules.

— Hayes... Et s'il revenait ?

Dans le lointain, les premières sirènes de police se firent entendre.

— Dorénavant, je saurai te protéger..., promit Hayes. Je ne laisserai plus personne te faire de mal, jamais !

8.

Tirée du sommeil par un bruit sec, Sheri s'assit d'un bond dans son lit et tourna les yeux vers la fenêtre. Juste au moment où elle s'imaginait avoir rêvé, une nouvelle pluie de gravillons s'abattit sur le carreau.

— Jeff…, murmura-t-elle avec soulagement.

Le cœur battant, elle sortit de son lit et courut à la fenêtre, non sans s'être assurée d'un coup d'œil que la porte de sa chambre était bien fermée. Sans la moindre hésitation, elle releva le châssis à guillotine et découvrit effectivement celui que depuis deux jours elle attendait sans oser se l'avouer.

Pour se réchauffer, Jeff avait relevé le col de son blouson autour de son cou. Son nez était rougi par le froid et la glaciale brise nocturne avait emmêlé ses cheveux. Un seul regard à son visage levé vers elle lui suffit pour tout lui pardonner. Comment aurait-elle pu rester en colère contre lui alors qu'elle l'aimait tant ?

Au souvenir des mots très durs qu'elle lui avait jetés à la tête au cours de leur dispute, un frisson lui remonta l'échine. Un doute affreux mina sa joie de le revoir. Et s'il n'était venu la voir en pleine nuit que pour lui dire qu'il voulait rompre ? Peut-être, après ce qui s'était passé entre

152

eux, ne l'aimait-il plus ? Et si c'était le cas, comment diable pourrait-elle le supporter ?

Refusant de se placer en situation de faiblesse vis-à-vis de lui, Sheri s'efforça de masquer ses craintes et croisa les bras d'un air déterminé.

— Qu'est-ce que tu fais là ?

Jeff grimaça et maugréa, dans un panache de buée :

— Il faut qu'on parle.

Tenaillée par la peur, Sheri lutta contre ses larmes.

— Voilà deux jours que tu ne m'as pas donné signe de vie…, lui reprocha-t-elle amèrement.

— Tu m'as dit que tu ne voulais plus jamais me voir.

— Et toi, tu m'as dit que tu voulais te débarrasser de notre bébé…

Mal à l'aise, Jeff détourna le regard.

— Je suis désolé, murmura-t-il. J'avais tort. Pourras-tu me pardonner ?

En butte à son silence têtu, Jeff soupira et gémit :

— J'ai vécu en enfer, sans toi depuis deux jours…

— Alors pourquoi n'as-tu pas appelé ?

— Il fallait d'abord que je réfléchisse.

— Et maintenant ça y est, tu as assez réfléchi ?

— Oui.

Il frissonna et demanda avec un regard implorant :

— Je peux entrer ?

Sans même y réfléchir, Sheri secoua négativement la tête.

— J'ai promis à Miss A. de ne plus te laisser entrer dans ma chambre.

— Alors rejoins-moi dehors. C'est important… Je t'en prie ! Nous devons parler de notre avenir.

A ces mots, un profond soulagement mêlé d'une joie intense s'empara de Sheri. Jeff n'était pas venu rompre mais parler de *leur* avenir… Toute réticence oubliée, elle hocha la tête avec enthousiasme.

— J'arrive tout de suite !

Après avoir refermé en hâte la fenêtre, elle saisit son peignoir au pied du lit et enfila ses pantoufles. Un regard à la pendulette de la table de chevet lui apprit qu'il était à peine 11 heures. Croisant les doigts pour que Miss A. soit endormie, elle entrouvrit la porte et se pencha à l'extérieur. A sa grande surprise, les lumières qu'elle avait laissées allumées en se couchant l'étaient toujours. Pourtant, la maison était parfaitement silencieuse…

Alors, Sheri se rappela que Miss A. lui avait annoncé qu'elle travaillerait tard ce soir-là. Sans doute n'était-elle pas encore rentrée. Rassurée, elle alla déverrouiller la porte d'entrée et se glissa à l'extérieur. Jeff l'attendait dans le jardin, partiellement masqué par un buisson de laurier-rose. Aussitôt qu'elle l'eut rejoint, il la prit dans ses bras.

— Je suis désolé…, s'excusa-t-il en la dévorant des yeux. Tellement désolé… Je ne voulais pas te faire souffrir.

Avec un soupir de bonheur, Sheri se blottit contre lui.

— Et moi, renchérit-elle, je suis désolée de t'avoir dit toutes ces choses affreuses. Je ne les pensais pas, tu sais.

— Je t'aime tant, Sheri…

— Moi aussi je t'aime… tellement que je ne sais pas comment te le dire.

Jeff pencha la tête pour l'embrasser, et Sheri se prêta au baiser avec reconnaissance et passion, s'accrochant à lui comme à une bouée dans la tempête. Les deux jours qui venaient de s'écouler avaient été les plus longs de sa vie. Et même si rien n'était encore résolu entre eux, elle savait intuitivement que tout irait bien. D'une manière ou d'une autre, du moment qu'il était auprès d'elle, les choses ne pourraient que s'arranger.

Lorsque leurs lèvres se séparèrent, Jeff posa son front contre le sien et soupira de plaisir.

— Je crois que j'aurais pu en mourir si je n'avais pas pu t'embrasser ce soir...

Sheri frissonna entre ses bras.

— Je sais... Je ressens la même chose moi aussi. Tu m'as tellement manqué !

— Je jure que nous ne serons plus jamais séparés ainsi ! promit-il solennellement. Pour quelque raison que ce soit...

— Je le jure aussi ! renchérit-elle en frissonnant de nouveau, de bonheur cette fois. Plus jamais ça...

Les sourcils froncés, Jeff lui frotta les bras.

— Mais tu as froid..., s'inquiéta-t-il. Suis-moi. Ma voiture est garée au coin de la rue.

Après l'avoir installée confortablement sur le siège passager, Jeff contourna le véhicule et s'assit derrière le volant. Sans rien dire, il la dévisagea un long moment avec le plus grand sérieux. Le cœur battant, Sheri soutint son regard de son mieux. Puis, incapable de supporter plus longtemps ce silence, elle poussa un profond soupir et demanda :

— Ainsi, tu as réfléchi à notre avenir ?

Les lèvres serrées en une mince ligne, un muscle jouant sur sa mâchoire, Jeff hocha la tête. Les doigts crispés dans le velours usé de son peignoir, Sheri retint son souffle.

— Et... qu'as-tu décidé ? reprit-elle.

— J'ai décidé, répondit-il, que nous devons nous marier.

Incrédule, Sheri le dévisagea sans mot dire, certaine d'avoir mal entendu. S'amusant de sa réaction, Jeff prit ses mains entre les siennes et confirma en souriant :

— Tu as bien entendu. Je veux t'épouser.

Incapable de la moindre parole, Sheri baissa les yeux vers leurs mains jointes. Alors que cette annonce aurait dû la combler de bonheur, elle l'emplissait d'une crainte sourde. Durant ces deux jours, l'avertissement de Miss A. n'avait pas quitté ses pensées. *Tu n'as pas le droit de faire à Jeff un chantage au mariage. Vous auriez au final l'un comme l'autre à le regretter...*

La vue brouillée par les larmes, Sheri releva les yeux et chercha ceux de Jeff. Le sourire de celui-ci se fana instantanément sur ses lèvres.

— Tu... tu ne veux pas m'épouser ? balbutia-t-il.

— Bien sûr que si ! s'exclama-t-elle. Plus que tout au monde... C'est juste que...

Sheri se mordilla la lèvre avant de conclure :

— La dernière fois... tu semblais ne pas...

Jeff l'interrompit d'un claquement de langue agacé.

— La dernière fois, expliqua-t-il, j'avais besoin de temps pour réfléchir. C'est tout... Je t'aime, Sheri.

Après un temps d'hésitation, il plaça ses deux mains tremblantes sur son abdomen, qui commençait à peine à s'arrondir.

— Et j'aime notre bébé..., conclut-il. Si je veux t'épouser, c'est aussi pour lui donner une famille.

Trop longtemps retenues, des larmes de joie jaillirent des yeux de Sheri.

— Oh, Jeff..., dit-elle dans un sanglot. Je suis si heureuse !

— Cela veut dire que tu veux bien m'épouser ?

— Naturellement ! Comment peux-tu t'imaginer un seul instant que je puisse ne pas le vouloir ?

Le visage radieux d'une joie enfantine, Jeff la prit dans ses bras et la berça contre lui.

— Je te promets d'être un bon mari pour toi, Sheri. Et pour notre enfant un bon père.

— Je sais que tu seras un mari merveilleux et un père fantastique…, acquiesça-t-elle. Et moi, je te promets de faire tout mon possible pour être la meilleure épouse pour toi. Je suis si heureuse… Notre bébé sera l'enfant le plus aimé au monde !

Jeff hocha pensivement la tête.

— Nous allons tous être heureux. Et nous ferons en sorte de ne pas reproduire les erreurs que nos parents ont commises.

Douchée par ces paroles, Sheri se raidit entre ses bras. Miss A. avait-elle raison de craindre le pire ? Etaient-ils déjà en train de commettre une erreur qu'ils auraient à regretter plus tard ? Par sa réaction violente lorsqu'il avait proposé de confier leur bébé à l'adoption, lui avait-elle sans le vouloir forcé la main ? Finirait-il par regretter sa décision et par leur en vouloir, à elle et au bébé ?

Taraudée par le doute, Sheri se recula pour observer le visage de Jeff. Son expression lointaine lui poignarda le cœur. Il ne paraissait pas précisément triste, mais pas spécialement heureux non plus.

La gorge serrée, elle décida qu'il ne pouvait subsister entre eux aucun doute ni malentendu. Plus que tout, elle voulait devenir sa femme, fonder avec lui une famille. Mais uniquement si c'était également son désir sincère. La crainte de faire son malheur en s'imaginant le rendre heureux lui était insupportable.

Plaçant sa main contre sa joue pour l'inciter à la regarder, Sheri murmura :

— Jeff ?

Tiré à grand-peine de ses songeries, Jeff soutint son regard troublé.

— Oui ?

— Es-tu vraiment sûr de toi ? Es-tu certain… de vouloir m'épouser ?

Le fait qu'il ne lui réponde pas instantanément suffit à confirmer les pires craintes de Sheri.

— Tu sais, reprit-elle courageusement, je continuerai à t'aimer même si tu ne m'épouses pas. Ce que je t'ai dit l'autre jour, je ne le pensais pas et…

Pour la faire taire, il posa un doigt sur ses lèvres.

— Je suis sûr de vouloir t'épouser, mon amour. Je veux que nous restions à jamais tous les trois ensemble.

— Mais…

Partagée entre sa peur de le perdre et son désir de ne rien laisser dans l'ombre, Sheri soupira profondément.

— Qu'en est-il de Georgetown ? s'enquit-elle enfin. Que deviennent tes études ?

Jeff se renfrogna.

— Terminées avant d'avoir commencé, maugréa-t-il. Mon père refuse de les financer.

Abasourdie par la nouvelle, Sheri mit un moment à en mesurer les conséquences.

— Tu ne pourrais pas obtenir une bourse ? demanda-t-elle enfin d'une toute petite voix. Ou un prêt ?

— Mon père gagne trop bien sa vie pour que je puisse obtenir un prêt, répondit-il de mauvaise grâce. Je me suis déjà renseigné. Et il est trop tard pour déposer un dossier de demande de bourse. De toute façon, pour y avoir droit je devrais étudier à temps complet. Or, il va me falloir travailler rapidement.

Sheri lui prit la main et la serra contre elle.

— Tu dois poursuivre tes études, Jeff, lança-t-elle avec conviction. Ce serait une erreur de les interrompre. Tu as travaillé trop dur pour t'arrêter en route.

— Je pourrais peut-être m'inscrire à l'Université de La Nouvelle-Orléans, hasarda-t-il sans conviction. C'est tout près et cela coûterait moins cher. Je pourrais suivre certains cours en gardant la possibilité de travailler à plein temps.

Avec un pincement au cœur, Sheri se rappela du jour où il avait reçu sa lettre d'acceptation à Georgetown. Jamais elle ne l'avait vu aussi heureux, aussi fier de lui.

— C'est moi qui travaillerai pour subvenir à nos besoins, décida-t-elle. Ainsi, tu pourras achever tes études.

D'un air las, Jeff haussa les épaules.

— Lorsque le bébé sera né, dit-il, tu auras déjà bien assez à faire à t'occuper de lui. Quant à le faire garder dans la journée par une nourrice ou dans une crèche, j'ai entendu dire que cela coûtait horriblement cher...

Découragée, Sheri se laissa retomber dans son siège.

— Je ne voulais pas ça, gémit-elle en luttant contre ses larmes. Je ne voulais pas gâcher ta vie.

— Hé ! protesta-t-il en se tournant d'un bond vers elle. Comment pourrais-tu gâcher ma vie ? Tu es la meilleure chose qui me soit jamais arrivée.

Bouleversée par ces derniers mots, Sheri se pencha vers lui et enfouit son visage contre son cou. Jamais personne ne lui avait dit une chose pareille. Jamais elle n'avait compté pour quiconque à ce point. Elle aimait tellement Jeff qu'il lui semblait qu'elle pourrait mourir sans lui. De son côté, il l'aimait avec la même intensité. Dès lors, pourquoi n'auraient-ils pas pu se marier tous les deux, comme elle en avait toujours rêvé ? Pourquoi fallait-il qu'elle redoute qu'une obscure menace fonde sur eux s'ils s'y décidaient ?

Rêveusement, elle caressa du bout des doigts la laine de mouton dont était fourré le blouson de Jeff. Sous sa

159

joue, elle sentait battre son cœur à un rythme régulier et réconfortant. Vaincue par tant d'émotions, Sheri ferma les yeux. Envers et malgré tout, décida-t-elle, ils seraient heureux tous les deux. Plus grands seraient les obstacles à franchir, au plus se fortifierait leur amour… Plus tard, on citerait leur ténacité et leur couple en exemple, de même qu'on louerait la famille heureuse et équilibrée qu'ils allaient offrir à leur bébé. Leur enfant ne subirait jamais l'humiliation et la douleur d'avoir été abusé ou négligé. Il ne saurait jamais ce que c'est que de n'avoir pas été désiré et aimé.

— Qu'est-ce que tu préférerais ? demanda soudain Jeff en lui caressant les cheveux. Une fille ou un garçon ?

Sheri se redressa et s'étira en bâillant.

— L'un ou l'autre, peu m'importe, répondit-elle. Et toi ?

— Moi pareil. L'un ou l'autre… Une fille peut-être ?

Amusée, Sheri se pencha pour déposer un rapide baiser sur ses lèvres. Cela ne faisait plus aucun doute pour elle à présent. Ils seraient tellement heureux, tous les deux, que les gens se retourneraient à leur passage dans la rue.

Avec cette réconfortante certitude fermement ancrée dans son cœur, elle fit ses adieux à Jeff et ouvrit sa portière pour s'en aller retrouver son lit.

L'interrogatoire de police fit revivre à Alice dans le détail toute l'horreur de son agression. Elle fit de son mieux pour répondre aux questions de manière claire et précise, même si l'épuisement et l'épouvante que lui inspiraient les faits sapaient son courage et son énergie.

Pour venir à bout de cette épreuve, elle ne lâcha pas un seul instant la main de Hayes, reconnaissante de son soutien et de sa fermeté inébranlables. Tout le temps que dura l'entretien avec l'officier de police, il se tint à son côté, le visage fermé, n'intervenant que pour répondre aux questions qui lui étaient directement posées.

Après le départ des enquêteurs, il avait insisté pour la raccompagner chez elle. Alice détestait se montrer faible et sans défense, mais il lui fallut bien reconnaître qu'il lui aurait sans doute été difficile de rentrer seule. Du coin de l'œil, elle le regardait conduire en se demandant à quoi il pouvait penser, ce qu'il pouvait ressentir. Taillé dans la pierre, son visage ne lui aurait pas donné plus d'indications de l'état d'esprit dans lequel il se trouvait.

Quand il se fut garé devant chez elle et eut éteint son moteur, ils demeurèrent un long moment silencieux tous les deux, n'osant se regarder et fixant stupidement la rue déserte devant eux. Alice était sur des charbons ardents, ne sachant comment sortir de cette situation. Qu'aurait-elle pu lui dire ? La vérité ? Qu'elle avait besoin de lui ? Qu'elle ne voulait pas qu'il s'en aille ? Qu'elle voulait le garder toute la nuit contre elle, dans son lit ?

Incapable de s'y résoudre, elle tourna la tête vers lui et lui murmura quelques remerciements avec un sourire contraint.

— Merci pour quoi ? dit-il avec un étonnement feint.

— Pour le bout de route. Pour ton soutien. Pour être venu me sauver. Pour tout…

D'un air songeur, Hayes hocha longuement la tête. La voyant ouvrir sa portière, il fit de même et décréta :

— Je te raccompagne chez toi.

— Tu n'es pas obligé…

— Non, mais j'en ai envie.

Soulagée, Alice lui sourit et sortit ses clés. A cet instant, elle comprit que son envie de le voir rester près d'elle n'avait rien à voir avec Tim, avec la menace qu'il avait fait peser sur elle ou avec le danger que peut-être il pouvait encore représenter. Le désir de le garder près d'elle n'était pas non plus lié au fait qu'il était son sauveur, ou qu'il aurait pu ce soir-là être tué en lui portant secours. Elle avait de lui un besoin plus égoïste, plus primaire…

Alors qu'ils s'apprêtaient à pénétrer chez elle, elle se força à inspirer profondément pour se reprendre. Cela n'avait aucun sens, songea-t-elle. Elle venait de vivre la pire soirée de son existence, pourtant elle n'avait aucune envie que celle-ci s'achève. Tout simplement parce qu'elle ne voulait pas voir Hayes la quitter… Mais comment aurait-elle pu le lui faire comprendre ?

Dans le vestibule, quand elle eut allumé les lumières et retrouvé avec soulagement l'intimité réconfortante de son foyer, Hayes se tourna vers elle et déclara d'une voix hésitante :

— Eh bien… Si tu es sûre que tu n'as plus besoin de moi, je pense que je vais y aller.

D'une main tremblante, elle s'agrippa à l'une des siennes, regrettant aussitôt son geste et ce qu'il pouvait trahir de son énervement.

— Hayes… Il y a quelque chose…

Elle ne put en dire plus et, découragée, lâcha sa main précipitamment. Incapable de supporter la limpide clarté de son regard posé sur elle, elle se détourna de lui, nouant ses bras sur sa poitrine pour les empêcher de trembler.

Hayes fit un pas pour la contourner et, la saisissant par les épaules, il la dévisagea avec inquiétude.

— Alice ? insista-t-il. Tu es sûre que tout va bien ?

Tout n'allait pas bien… Et Alice se doutait qu'il en serait ainsi tant qu'elle n'aurait pas accepté de regarder en face la réalité de leur relation, de l'attirance qui les poussait l'un vers l'autre de manière inévitable, en dépit de tout. Se traitant d'idiote et de lâche, elle poussa un soupir heurté et parvint enfin à se lancer, le menton fièrement pointé.

— Je voudrais que tu restes cette nuit avec moi…, dit-elle sans faiblir, en soutenant bravement son regard. Dans mes bras. Dans mon lit.

Pendant dix bonnes secondes, Hayes ne dit rien, ne fit pas un geste, ne manifesta pas la moindre réaction. Un vent de panique souffla dans l'esprit d'Alice, à qui ces secondes parurent des heures. Et s'il déclinait son offre, se demanda-t-elle avec angoisse, s'il la rejetait, serait-elle capable de le supporter ?

— Je ne peux me contenter d'être un garde du corps, Alice, dit-il enfin d'une voix sourde. Comprends-tu ? Je ne veux pas que tu aies envie que je reste avec toi par peur de rester seule.

Alice secoua la tête et fit un pas vers lui.

— Je veux que tu restes près de moi, Hayes. Pas parce que j'ai peur de Tim ou de quoi que ce soit d'autre. Je te veux *toi*. Ce qui s'est passé ce soir m'a fait comprendre à quel point j'ai envie de toi, de faire l'amour avec toi…

Ses yeux se rétrécirent et devinrent plus sombres.

— Tu en es sûre ?

Elle lui tendit la main et lui sourit.

— Oui, absolument sûre.

Comme s'il hésitait encore, Hayes contempla sa main un moment sans réagir. Quand il s'en saisit enfin pour l'entraîner en hâte vers l'escalier, Alice poussa un soupir de reconnaissance et de soulagement.

A pas de loup pour ne pas réveiller Sheri, elle le mena à sa chambre. Il y faisait sombre et tiède, comme dans un cocon protecteur et douillet. En douceur, elle referma la porte derrière eux et tira le verrou. Par la fenêtre se répandait dans la pièce un clair de lune laiteux, baignant le grand lit d'une douce lueur. Comparativement, les coins d'ombre n'en paraissaient que plus sombres.

Hayes se tourna vers elle. Comme un homme aveugle ne découvrant le monde qu'au travers de ses doigts, il dessina le contour de son menton, de ses arcades sourcilières, de sa bouche. Si ce n'était certes pas la première fois qu'il la caressait ainsi, Alice comprit à la ferveur presque religieuse qui l'animait que cette fois-là serait exceptionnelle.

Suivant son exemple, elle se mit elle aussi à explorer à pleines mains les formes et les volumes, les textures et les lignes, les pleins et les déliés qui faisaient de Hayes l'homme qu'elle avait toujours aimé. Elle gardait de son corps un souvenir des plus précis, mais ce soir elle ne se contenterait pas des images issues de sa mémoire. Ce soir, elle désirait s'immerger dans la réalité de l'homme qu'il était devenu, elle voulait vivre l'instant présent et non plus se complaire dans le passé.

Alice soupira de plaisir en se coulant contre lui. Il y avait longtemps — trop longtemps — qu'elle en rêvait, et pourtant cette étreinte lui semblait familière. D'une certaine façon, de manière tout à fait étrange, c'était un peu comme s'ils ne s'étaient jamais quittés.

Fascinée par le modelé de sa bouche, elle caressa les lèvres de Hayes. Par surprise, il mordilla l'un de ses doigts. Alice sentit son pouls s'accélérer, ses jambes se dérober sous elle. Pour ne pas tomber, elle dut prendre appui contre lui.

Avec un grognement de passion, Hayes s'empara de la bouche d'Alice, enfouissant ses doigts dans les boucles soyeuses de ses cheveux. Un tambour battait dans sa tête à un rythme obsédant et primitif. Un rythme qui annihilait

164

en lui tout ce qui n'était pas son désir pour elle. Un rythme enivrant, qui ne se laisserait pas ignorer.

Pour mieux se prêter au baiser, Alice pencha la tête et entrouvrit les lèvres. Leurs langues, curieuses et tendres à la fois, se rencontrèrent et s'emmêlèrent. La bouche d'Alice avait une saveur, une douceur inoubliables que Hayes retrouvait avec ivresse. Incapable de s'en repaître, il approfondit encore le baiser, désirant toujours plus, toujours mieux de ce qui pouvait les unir. Il y avait si longtemps qu'il désespérait de pouvoir un jour la serrer ainsi entre ses bras, offerte et passionnée, qu'il lui semblait nager en plein rêve.

A bout de souffle, il quitta ses lèvres à regret et laissa sa bouche dériver le long de son cou jusqu'au gouffre tentateur de son décolleté. Jamais il n'avait pu oublier quelle expérience unique et affolante c'était de faire l'amour avec elle. Il se rappelait de tout — son odeur, la texture de sa peau, ses cris et soupirs. Il savait où elle aimait être caressée, et quelles caresses particulières l'amenaient au bord de l'extase.

Pourtant, dans un coin de son esprit, une voix sourde continuait à maugréer qu'il n'aurait pas dû céder à son désir, qu'elle méritait plus et mieux que lui. Hier comme aujourd'hui… Mais ce n'étaient là que combats d'arrière-garde. Déjà, il savait qu'il n'avait pas la force de caractère nécessaire pour se refuser à elle, pour se priver des délices que si généreusement elle lui offrait. Il était tout simplement incapable de lui résister. Hier comme aujourd'hui…

L'idée qu'il aurait fort bien pu la perdre ce soir définitivement ne faisait qu'accentuer le désir qui le consumait. Il ne pouvait imaginer un monde sans Alice Dougherty. Cela lui était inconcevable. A cette minute, il lui était même impossible d'imaginer passer une seule minute sans elle — et *a fortiori* le reste de sa vie. Pourtant, d'ici peu, une fois l'ivresse des sens apaisée, il n'aurait pas seulement à imaginer sa vie sans elle. Il devrait y faire face et l'accepter. A cette idée, il la serra si fort entre ses bras qu'elle en gémit.

— Cela fait tellement longtemps..., murmura-t-il au creux de son oreille comme pour s'excuser.

— Trop longtemps.

Alice fit courir ses mains le long de son dos, jusqu'à s'emparer de manière possessive de ses fesses.

— Tu m'as beaucoup manqué, avoua-t-elle en le fixant dans les yeux. *Ça* m'a beaucoup manqué aussi.

Titillé par cet aveu, Hayes reprit du bout de la langue son exploration dans l'échancrure du corsage d'Alice. Pour mieux atteindre la naissance d'un sein, il avait dégrafé le premier bouton et grognait ce faisant :

— Tu ne peux pas t'imaginer... à quel point ceci... m'a beaucoup manqué... aussi.

Alice s'arc-bouta et pencha la tête en arrière pour mieux se prêter à ses caresses, s'agrippant à ses cheveux.

— Ne me laisse pas l'imaginer plus longtemps, haleta-t-elle d'une voix bouleversée. Prouve-le-moi !

Comme s'il n'attendait que ce signal, Hayes poussa un grognement de bête blessée et la souleva dans ses bras pour la porter jusqu'au lit. Mais plutôt que de l'y allonger, il la déposa sur ses pieds au centre de la flaque de lumière argentée répandue par la lune.

— Es-tu sûre de le vouloir ? dit-il, saisi par une soudaine inquiétude. Dans quelques instants, il sera trop tard pour reculer...

Avec un tendre sourire, Alice hocha la tête.

— Sois tranquille, le rassura-t-elle. Je n'ai jamais été aussi sûre de quoi que ce soit.

Hayes lui rendit son sourire. Voyant qu'il s'apprêtait à la cueillir de nouveau au creux de ses bras pour la déposer sur le lit, Alice l'arrêta d'un geste.

— Allons à l'essentiel. J'ai tellement envie de toi…

Lentement, délibérément, Alice commença à ôter ses vêtements froissés et maculés de traces de sang. Sans jamais quitter ses yeux du regard, Hayes suivit le mouvement avec la même détermination. Tout en se déshabillant, Alice prit garde à ne pas fixer autre chose que le visage de cet homme qui se déshabillait pour elle. Elle ne s'autorisa à se repaître de sa nudité offerte à ses yeux que lorsqu'ils furent l'un et l'autre nus comme au premier jour.

Et ce qu'elle découvrit lui coupa le souffle. Hayes était magnifique, encore plus que dans son souvenir. Grand, mince, musclé sans excès, il avait le torse et les jambes couverts d'une fine toison de poils sombres. Et la façon dont cet homme magnifique la désirait n'était à l'évidence pas à mettre en doute.

Tout naturellement, Alice renoua le fil rompu de rites anciens. S'approchant de lui, elle encercla sans fausse pudeur de ses doigts son membre dressé. Sous la caresse, Hayes se cabra et gémit, le souffle coupé. Un sourire mutin au coin des lèvres, elle fit en sorte qu'il ne puisse pas le retrouver… Sous ses paumes, sa peau était brûlante. Les pointes de ses seins bourgeonnaient vers lui, implorant ses caresses. A cet instant, elle avait la sensation d'être la femme la plus puissante et simultanément la plus désarmée au monde.

Hayes, comprenant ce qu'elle attendait de lui, pencha la tête pour prendre l'une après l'autre dans sa bouche chacune de ses aréoles dressées. Ses lèvres, sa langue, se firent un devoir de titiller ces bourgeons de chair rose et savoureuse jusqu'à ce qu'elle se dérobe au supplice. Avec une urgence incontournable, ils se collèrent l'un à l'autre, chair contre chair, désir contre désir dressé.

Alice, pour donner à entendre la mélodie qui chantait dans sa tête, murmura le nom de Hayes, encore et encore, sans se lasser. Elle sut alors qu'elle ne pourrait plus le laisser repartir, la quitter — ni maintenant ni jamais. L'emportant dans ses bras, il la déposa sur le lit et s'allongea à son côté. Sans lui laisser le temps de réagir, elle entreprit de réjouir son corps offert à ses caresses de toutes les manières possibles, à pleines mains, à pleine bouche, jusqu'à ce qu'il se torde de plaisir et la supplie d'arrêter.

Hayes se redressa brusquement sur le lit et s'allongea sur elle, l'enfonçant dans l'épaisseur du matelas. Avec un gémissement de satisfaction, Alice referma bras et jambes autour de lui. Rien n'aurait pu lui paraître plus juste ni délicieux que le poids de cet homme pesant sur elle et se positionnant avec ardeur à l'endroit où pulsait son désir. Quand il pénétra doucement en elle, elle arqua le dos pour mieux l'accueillir.

Leurs râles de plaisir se mêlèrent en une même et douce musique avant que Hayes ne dévore sa bouche de baisers. Ensemble, ils commencèrent à se mouvoir à un rythme qui les satisfaisait tous deux et que ni l'un ni l'autre n'avaient pu oublier malgré le temps passé. D'abord lente et douce, tendre et attentionnée, leur étreinte se fit plus exigeante et passionnée au fur et à mesure qu'approchait le moment tant attendu de leur jouissance commune.

Ce fut dans un même cri, avec l'amicale complicité de la lune qui nimbait leurs corps unis d'argent liquide, qu'ils connurent ensemble l'extase bienheureuse des amants comblés.

9.

Un nuage passa devant la lune, plongeant la pièce dans le noir. Surprise par la soudaineté des ténèbres, Alice resserra d'instinct l'emprise de ses membres autour du corps de Hayes. Ce fut ainsi, serrés au plus près mais incapables de se voir, qu'ils retrouvèrent leur souffle et que leur cœur reprit un rythme normal.

Aussitôt que la lune reparut, Alice retint un soupir de déception en apercevant le visage de Hayes penché sur le sien. Il ne lui avait pas fallu plus que ces quelques minutes pour passer de l'extase au remords. A n'en pas douter, il regrettait amèrement ce qu'ils venaient de faire et ne prenait pas la peine de s'en cacher.

Le choc n'en fut que plus violent pour elle. Le retour sur terre ne pouvait être plus rude. Cette parenthèse passée, rien n'avait changé entre eux et ils reprenaient les choses où ils les avaient laissées. Qu'il l'ait voulu ou non, il l'avait fait souffrir autrefois et ne pourrait, si elle n'y prenait garde, que la faire souffrir de nouveau.

— Je suis trop lourd, murmura-t-il. Je vais t'écraser.

Il fit mine de rouler sur le côté pour la libérer mais elle l'en empêcha en resserrant ses jambes autour de sa taille.

— Tu n'es pas lourd. Attends encore un peu...

A ces mots, Hayes se détendit. Avec un sourire, il chassa du visage d'Alice quelques mèches humides, l'embrassa tendrement, lui murmura des mots doux. Elle n'était pourtant pas dupe. Déjà, il avait recommencé à prendre ses distances avec elle, à se réfugier derrière son habituel rempart protecteur.

Alice ferma les yeux pour ne pas se mettre à pleurer. Comment, se demanda-t-elle, avait-elle pu se montrer aussi inconséquente, aussi stupide ? N'apprendrait-elle donc jamais rien des leçons du passé ?

Mais aussitôt qu'elle rouvrit les paupières et qu'elle découvrit ce sourire qui avait tant de fois hanté ses rêves depuis douze ans, son cœur se mit à battre la chamade et plus aucune réserve ne fut de mise. Pourquoi ne pas se rendre à l'évidence ? Elle aimait Hayes, n'avait jamais cessé de l'aimer. Que pouvait-elle craindre de lui alors qu'il avait déjà son cœur entre les mains ?

Faire l'amour avec lui, songea-t-elle, n'avait en rien changé les sentiments qu'il lui inspirait. Elle était et demeurait auprès de lui aussi vulnérable qu'une femme peut l'être auprès d'un homme. Mais à la différence de la toute jeune fille qu'elle était autrefois, elle n'était plus naïve et ne portait plus son cœur en bandoulière... Elle ne se laisserait plus anéantir par la faillite d'une histoire d'amour. Et elle était fermement décidée à ne pas gâcher ce sursis inespéré que le destin leur offrait en se demandant sans cesse à quel moment Hayes allait la rejeter.

Pour que les choses soient tout à faire claires entre eux, elle préféra prendre les devants.

— Malgré ce qui vient de se passer, sache que je n'attends rien de toi, Hayes... Aucune promesse. Aucun engagement sur le long terme. Je n'attends pas non plus le moindre investissement émotionnel.

Hayes fronça les sourcils, mimant l'étonnement.

— Pourquoi dis-tu ça ?

Elle eut envie de lui crier que cette mise au point s'imposait parce qu'elle avait lu dans ses yeux qu'il se sentait pris au piège, parce que cela s'était clairement vu sur son visage. Au lieu de cela, elle secoua la tête et dit en soutenant calmement son regard.

— Etant donné ce qui s'est passé entre nous, je me suis dit qu'il fallait établir clairement dès maintenant les limites de notre relation.

— C'est ainsi que tu vois les choses ?

— Oui.

Hayes roula sur le côté, l'entraînant avec lui, de façon à ce qu'elle le chevauche.

— Et maintenant, dit-il, à mon tour de poser mes conditions...

Vaillamment, Alice soutint son regard sans ciller, prête à entendre ce qu'il avait à lui annoncer.

— Tu es incroyable, poursuivit-il sur le même ton solennel. Merveilleuse. Epoustouflante. Sans conditions ni clauses restrictives, je veux te faire l'amour encore. Et encore. Peut-être toute la nuit... Tu réveilles en moi l'adolescent concupiscent et insatiable que j'étais.

Toute crainte oubliée, Alice se mit à rire de bon cœur, la tête rejetée en arrière.

— C'est cela que tu tenais tant à établir sans attendre ? s'exclama-t-elle.

Gravement, Hayes hocha la tête. S'emparant de sa main, il la guida d'autorité vers son entrejambe, où palpitait une nouvelle et monumentale érection.

— Puisque l'essentiel est établi, conclut-il, je ne vois pas l'utilité de papoter plus longtemps...

— Je vois ça, répondit-elle en empoignant son sexe érigé. Et que suggérez-vous que nous fassions à ce sujet, maître Bradford ?

Il tendit les bras et noua ses mains derrière la nuque d'Alice pour attirer son visage vers le sien. Sur ses lèvres flottait un sourire entendu.

— Viens par ici, beauté, et je vais te l'expliquer...

Longtemps après qu'ils eurent retrouvé leur souffle pour la seconde fois après l'orgasme, Hayes tourna les yeux vers Alice. Les paupières closes, la respiration lente et régulière, elle reposait près de lui, comme endormie. Pourtant, quelque chose dans son attitude et dans l'expression de son visage lui disait que ce n'était pas le cas et qu'elle s'abîmait plutôt dans ses pensées.

Dans ses pensées ou dans ses regrets ? Ce doute le fit se renfrogner. Elle l'avait totalement pris de court avec sa proclamation de ne vouloir ni engagement sur le long terme, ni promesses. Avait-elle pu changer à ce point durant ces douze interminables années ? La jeune fille qu'il avait connue et aimée ne lui aurait pas tenu un tel discours. Alice n'avait jamais fait mystère de son envie de vivre avec l'homme de sa vie une véritable histoire d'amour et de fonder une famille.

Comme si elle avait pu sentir le poids de son regard posé sur elle, Alice ouvrit les yeux. La peine qu'il y découvrit, durant un bref instant, lui serra le cœur. Puis son expression changea et un sourire mutin joua sur ses lèvres.

— Partant pour le troisième round, maître Bradford ?

— Pour le moment, les batteries sont à plat, répondit-il avec une grimace comique.

— Dommage...

Ramassant sur l'oreiller une plume qui s'en était échappée, il s'en servit pour lui caresser la joue et reprit :

— J'étais en train de penser à toi. Je me demandais…

— Oui ? insista-t-elle en le voyant hésiter.

Hayes enfouit ses doigts dans la chevelure d'Alice répandue sur l'oreiller et conclut d'un trait :

— Je me demandais pourquoi tu ne t'étais pas mariée. Tu voulais tant fonder une famille que j'étais persuadé que tu le ferais.

Alice se raidit imperceptiblement. Hayes maudit son insatiable curiosité.

— Je n'aurais pas dû te demander ça, s'excusa-t-il. Laisse tomber…

— Ça ne s'est pas présenté, répondit-elle néanmoins. Voilà tout.

Rêveusement, il enroula une boucle de ses cheveux autour de son index avant de poursuivre :

— Pourtant, il y a quelques années, une employée du coffee shop de Meg m'a appris que tu t'étais fiancée.

Alarmée, Alice se tourna vers lui et le considéra un instant d'un air soupçonneux.

— Quand j'ai appris ça, précisa-t-il pour la rassurer, j'en ai été heureux pour toi.

Vivement, Alice roula sur le matelas, au bord duquel elle s'assit après avoir remonté le drap sur ses seins.

— Ah oui ? lança-t-elle sèchement. Pourtant, si Stephen et moi nous étions mariés, nous ne serions pas dans le même lit cette nuit, toi et moi.

Le simple fait de l'entendre prononcer le nom de son ancien fiancé suffit à susciter chez Hayes un féroce élan de jalousie. Avaient-ils été amants, tous les deux ? Leur était-il arrivé de se retrouver couchés l'un à côté de l'autre, tard dans la nuit, et d'échanger caresses, pensées secrètes et baisers ?

173

Hayes serra les dents pour ne pas jurer de dépit. Alice était sienne, l'avait toujours été. Et même s'ils n'étaient plus engagés l'un envers l'autre au moment où elle s'était fiancée, le simple fait de l'imaginer au lit avec un autre homme l'emplissait d'une rage froide.

Un seul regard au visage tendu d'Alice, qui lui apparaissait de profil, suffit pourtant à transformer sa jalousie en remords. Il s'empara d'une de ses mains, la porta à ses lèvres pour y déposer un baiser.

— Je ne voulais pas t'offenser, Alice. Je pensais savoir ce que le mariage et la famille représentent pour toi. J'étais heureux à l'idée que tu aies pu obtenir enfin ce que tu cherchais. C'est tout ce qui m'importe, tu sais…

— Vraiment ? répliqua-t-elle en se tournant vers lui. Cela me semble difficile à croire.

— Mais c'est pourtant vrai.

Pour l'empêcher de s'enfuir, Hayes prit la précaution d'entremêler ses doigts aux siens et reprit :

— Tu dois me croire… Si j'ai préféré mettre fin à notre relation, c'est parce que je savais ne pas pouvoir te rendre heureuse en t'apportant ce que tu cherchais.

— Dans ce cas, pourquoi avoir cherché à prendre de mes nouvelles ? Qu'est-ce qui t'a poussé à le faire ?

Bien qu'embarrassé, Hayes s'efforça de soutenir sans ciller le regard inquisiteur qu'elle lui lançait. Qu'aurait-il pu répondre à cela ? Qu'il s'était retrouvé bourrelé de remords et de doutes quelques semaines à peine après leur séparation ? Que dans un moment de faiblesse, il avait même envisagé de chercher à la revoir ?

— Je voulais savoir comment tu allais, répondit-il plutôt. Je voulais m'assurer…

— Que j'avais survécu à ton départ ? coupa-t-elle d'une voix grinçante. Eh bien oui, j'ai survécu. Je suis même arrivée à reprendre sans toi le cours d'une vie normale.

Blessé par l'amertume de ces paroles, Hayes hocha la tête et regarda un instant leurs mains jointes avant de poser la question qui lui brûlait les lèvres.

— Ce Stephen... qu'est-il devenu ?

Alice frissonna et retira sa main de la sienne.

— J'ai rompu. Cela n'était pas suffisamment sérieux entre nous. Je ne l'aimais pas autant que je l'aurais dû pour pouvoir l'épouser. Il méritait mieux que cela. C'était... un type bien.

Elle n'eut pas besoin de lui en dire plus pour qu'il comprenne qu'elle l'avait fait souffrir en mettant fin à leur relation et qu'elle continuait à s'en vouloir pour cela. Lui-même était expert en la matière.

— Et toi ? reprit-elle vivement, comme pour faire diversion. Tu n'as jamais eu envie de te remarier ?

— Pas depuis que je t'ai proposé de t'épouser.

Prise de court, Alice masqua son trouble en revenant s'adosser contre la tête de lit. Les bras passés autour des jambes, le menton posé sur les genoux, elle pesa longuement ses paroles avant de protester :

— Cela n'a rien à voir. C'était à cause du bébé...

A côté d'elle, elle le sentit se raidir.

— Tu as raison, admit-il dans un soupir. C'était à cause du bébé. Je ne suis pas fait pour le mariage.

Alice fit de son mieux pour masquer sa déception, mais ce fut avec amertume qu'elle lança :

— Sur ce point-là non plus tu n'as pas changé.

— Non, admit-il. Sur ce point-là non plus je n'ai pas changé.

Alice inspira profondément pour se calmer puis lui demanda posément :

— Tu essaies de me faire comprendre quelque chose, Hayes ?

— Juste la vérité. Je ne tiens pas à trahir de nouveau ta confiance. Je ne veux pas te voir souffrir.

— Quelle arrogance ! s'écria-t-elle. A tes yeux, il n'y a que moi qui puisse souffrir, n'est-ce pas ?

Les joues rouges de colère, Alice lui fit face.

— Je t'ai déjà dit que je n'attends rien de… ce qui vient de se passer entre nous. Mais cela ne te suffit pas ! Il faut encore que tu me mettes en garde contre les dommages que pourraient infliger à mon pauvre petit cœur romantique tes talents de don Juan… Eh bien, maintenant que c'est fait, pourquoi ne volerais-tu pas vers de nouvelles aventures ? Je ne te retiens pas.

D'un grand geste, elle rabattit le drap et s'apprêta à bondir du lit.

— Si tu préfères, conclut-elle, nous pouvons même faire comme si rien ne s'était passé entre nous.

Avant qu'elle ait eu le temps de se lever, Hayes la saisit par le poignet.

— Tu ne te débarrasseras pas de moi comme ça, dit-il d'une voix grondante. Et je ne tiens pas non plus à faire comme si de rien n'était, à supposer que cela soit possible.

Alice pointa fièrement le menton, ce qui eut le don de le faire sourire et ne fit qu'augmenter sa colère.

— Ah non ? Alors dans ce cas que veux-tu ?

Une fois de plus, Hayes ne sut que lui répondre. Le cœur battant, la tête vide, il ne put que l'admirer sans rien dire. Alice était si belle, tellement à part des autres femmes… Sa présence à ses côtés suffisait à mettre un peu de chaleur et de lumière dans sa vie. Près d'elle, il se sentait jeune,

176

plein d'espoir, et complètement étranger à la peur. D'un seul sourire, elle parvenait à lui faire croire que malgré tout, peut-être, il pourrait être celui dont elle avait besoin. Cela lui faisait d'autant plus peur qu'il savait quant à lui ne pouvoir être celui qui la rendrait heureuse. Pourtant, il ne pouvait supporter l'idée de renoncer une fois de plus à elle pour son bien.

D'une traction sur son poignet, il l'attira sur le lit et la serra contre lui.

— Ce que je veux, murmura-t-il quand il eut réussi à capter son regard, c'est toi. Dans mes bras. Dans mon lit.

Portant leurs mains jointes à son cœur, il ajouta :

— Quant à ce qui se passe ici, je ne peux te donner aucune certitude. Je sais que je veux de toi dans ma vie. De cela, je suis sûr. Tu me fais du bien. Ce soir, j'ai failli te perdre et j'ai tout compris.

Alice baissa les yeux sur leurs doigts emmêlés, la poitrine tellement oppressée qu'il lui était difficile de respirer. Hayes ne savait pas exactement où il en était ni ce qu'il attendait d'elle. Il n'était pas certain de ce que faire l'amour avec elle représentait pour lui. Voilà ce qu'elle retenait de ce qu'il venait de lui confier. Et cela, songeat-elle, était loin de lui convenir... Une part d'elle-même gémissait de désappointement tandis qu'une autre aurait voulu crier sa joie.

S'il lui avait avoué qu'il n'avait aucun sentiment pour elle, s'il avait su sans l'ombre d'un doute qu'elle n'avait aucune place dans son cœur, elle aurait pu se le tenir pour dit. Mais comment devait-elle comprendre son « je ne sais pas ce que je veux mais je veux de toi dans ma vie car tu me fais du bien » ? Qu'était-elle censée faire des rêves insensés et des espoirs tenaces qu'une telle déclaration ne pouvait manquer de susciter en elle ?

Alice releva la tête et le fixa dans les yeux.

— Je crois que tu ferais mieux de rentrer chez toi, dit-elle d'une voix égale. J'ai besoin d'être seule.

Hayes hésita un instant. Elle eut peur qu'il ne tente de la convaincre de le laisser rester. S'il l'avait fait, sans doute n'aurait-elle pas eu la force de lui résister. Mais après ce court instant d'hésitation, il hocha la tête et porta ses mains à ses lèvres pour les embrasser.

— Je peux t'appeler demain ? demanda-t-il.

La gorge nouée, Alice hocha la tête.

— Si tu as besoin de moi, reprit-il, pour quelque raison que ce soit, tu me promets d'appeler ?

Touché par sa sollicitude, elle lutta contre les larmes qui lui montaient aux yeux et murmura :

— Promis…

Contrairement à la demande qu'il lui avait faite, Hayes n'appela pas Alice le lendemain. Le matin devint l'après-midi, et l'après midi le soir, sans qu'il lui donne signe de vie. Rentrée chez elle après son travail, elle ne cessa d'épier le combiné téléphonique du coin de l'œil, comme elle l'avait fait toute la journée.

Une journée qui avait été pour elle un véritable cauchemar. Par deux fois, elle avait dû répondre à de nouvelles questions de la police. Une réunion d'urgence de l'équipe du Foyer avait monopolisé une bonne partie de la matinée. Pour ne rien arranger, l'histoire s'était répandue comme une traînée de poudre parmi les jeunes résidents, semant désordre, panique et consternation. Pour ramener le calme, Alice avait dû les rassurer elle-même sur son sort, revivant le drame à chaque nouvelle question posée. Tim, quant à lui, avait fini par être retrouvé et appréhendé, au soulagement général, en fin de journée, peu après 17 heures.

De retour chez elle, Alice avait découvert Sheri pâle et tremblante, attendant son retour. Elle aussi avait eu vent de l'affaire, qui l'avait énormément choquée. Alors qu'elles en discutaient toutes deux, Alice essayant de dédramatiser l'incident, la jeune fille avait été prise de nausées, ce qui l'avait contrainte à aller s'allonger dans sa chambre.

Inquiète pour elle, Alice avait fini par téléphoner au Dr Bennett pour prendre conseil. De nombreuses nausées étaient venues gêner Sheri dans sa vie de tous les jours, ces derniers temps, mais elle n'avait pas voulu en référer à l'obstétricienne, de peur du diagnostic que celle-ci pourrait établir. Cette confession avait permis à Alice d'avoir avec sa protégée une discussion sur la nécessité d'une absolue honnêteté envers le médecin qui surveillait sa santé et celle du bébé.

Après avoir eu en ligne le Dr Bennett, qui avait conclu à la nécessité d'une vigilance accrue mais sans paniquer, Alice raccrocha et resta longtemps assise sur le sofa, à contempler le combiné téléphonique d'un œil songeur. Avant de partir la nuit précédente, Hayes lui avait fait promettre de l'appeler en cas de besoin. Or, si elle avait eu besoin de lui — bien plus qu'elle n'était prête à le reconnaître —, elle n'avait pu se résoudre à composer son numéro.

Avec un haussement d'épaules, elle se dressa d'un bond et tourna le dos à l'appareil. Pour rien au monde elle n'appellerait Hayes, même si sa force, sa présence et son réconfort lui avaient beaucoup manqué. Son silence inattendu en ce jour pénible qu'elle avait dû traverser seule l'avait surprise et peinée. Et si elle finissait par se résoudre à l'appeler, il ne pourrait que le deviner, que l'entendre dans le ton de sa voix.

Quelques coups frappés contre la porte d'entrée la firent sursauter. Les avant-bras couverts de chair de poule, elle fit demi-tour, n'osant aller ouvrir. Même si elle savait que Tim avait été arrêté quelques heures plus tôt et n'était plus en état de s'en prendre à elle, la peur la paralysait sur place. Les coups retentirent de nouveau, plus forts et insistants. Prenant sur elle, Alice inspira pour se donner du courage et alla ouvrir.

Les bras chargés de sacs à provisions et d'un gros bouquet de fleurs, Hayes se tenait sous le porche. Un seul coup d'œil suffit à Alice pour comprendre qu'il était exténué. Ses cheveux étaient emmêlés. La veste jetée sur l'épaule, la cravate desserrée, il ne restait plus grand-chose de son élégance d'avocat prospère. Aux plis qui se formaient au coin de sa bouche et de ses yeux se devinaient son inquiétude et sa fatigue.

Alice s'effaça sur le seuil pour l'inviter à entrer. Hayes lui sourit et pénétra dans le hall en la détaillant de la tête aux pieds. Etourdie par la chaleur de son regard posé sur elle, elle sentit ses jambes faiblir et dut se retenir un instant au chambranle de la porte.

— Hé ! protesta-t-il en tendant le bras pour lui venir en aide. Je parie que tu n'as rien mangé de la journée.

Avec un sourire gêné, Alice secoua négativement la tête.

— Juste une pomme en rentrant tout à l'heure.

Du regard, Hayes désigna les paquets dont il était chargé.

— J'ai là ce qu'il faut pour y remédier. Sandwichs aux crevettes.

— Mes préférés..., commenta Alice avec un sourire gourmand.

180

— Je t'ai aussi apporté des roses, mais elles ne sont pas au menu.

Alice eut une moue dépitée.

— Quel dommage ! Je les adore en vinaigrette…

Se prêtant à la plaisanterie, Hayes grimaça de manière comique et conclut :

— Dans ce cas, je te laisse les roses et je mange les sandwichs.

— Tu es un ange…

S'emparant du bouquet, Alice tourna les talons pour se diriger vers la cuisine. Hayes lui emboîta le pas.

— J'ai aussi pris un sandwich pour Sheri, reprit-il. Elle n'est pas là ?

— Elle dort déjà. Elle ne se sentait pas très bien.

Avant de se mettre en quête d'un vase, Alice porta le bouquet à son visage et inspira profondément. Elle s'en voulait d'accorder trop d'importance à ces fleurs, mais elle ne pouvait empêcher son cœur de s'emballer comme celui d'une adolescente recevant ses premières roses…

— Elles sont magnifiques, commenta-t-elle pour masquer son trouble. Et elles sentent divinement bon.

— Je me suis dit qu'elles pourraient te faire plaisir. La journée a dû être dure.

Alice retint de justesse les mots qui se pressaient sur ses lèvres, parce qu'ils auraient trahi sa peur et sa fatigue, parce qu'ils lui auraient fait comprendre à quel point elle avait eu besoin de lui ce jour-là, à quel point lui avait manqué le coup de fil qu'il ne lui avait pas passé. Pour rien au monde elle n'aurait voulu se montrer trop dépendante ou empressée.

D'un sourire, elle le remercia de son attention et proposa :

— Tu veux boire quelque chose ? Je crois qu'il y a de la bière au réfrigérateur.

— Oui, merci.

Mais avant qu'elle ait eu le temps de la lui servir, il l'avait précédée et se servit lui-même, comme il le faisait autrefois en rentrant du travail.

Avec un étrange sentiment de déjà-vu, Alice le regarda porter la cannette à ses lèvres et lever le visage vers le plafond, dégustant soigneusement les premières gorgées de bière.

Fascinée, elle laissa ses yeux courir le long de l'arc émouvant de sa gorge tendue, où s'agitait sa pomme d'Adam, et au bas de laquelle se trouvait ce petit creux qu'elle connaissait si bien pour l'avoir tant de fois exploré du bout des lèvres. Elle n'avait aucun mal à s'en rappeler les contours, la texture et le goût.

La précision de cette réminiscence la troubla tant qu'elle préféra détourner le regard et mettre les fleurs dans l'eau.

— Ça va déjà mieux ! s'exclama-t-il en la regardant faire.

— La journée a été dure ? demanda-t-elle par-dessus son épaule.

— C'est peu de le dire...

Alice éprouvait la sensation de nager en plein rêve. Douze ans avaient passé, mais ils rejouaient les mêmes scènes, revivaient les mêmes situations qu'autrefois, lorsque Jeff était couché et qu'ils restaient ensemble une heure ou deux, à deviser tranquillement et à passer en revue les menus faits et impressions de la journée. Hayes lui faisait part de ses premiers exploits d'avocat doué. Elle le régalait des anecdotes du coffee shop. Elle avait toujours adoré ces moments d'intimité, et ils lui avaient depuis cruellement manqué.

— J'ai un client pénible sur les bras, confessa Hayes comme pour se prêter à ce jeu. J'en viens à me dire qu'il est fou…

Avec un petit rire amusé, Alice mit soigneusement en places les roses dans le vase empli d'eau.

— Tu n'exagères pas un peu ?

— A toi de me le dire. La psychiatrie n'est pas mon domaine.

— Ce n'est pas le mien non plus, cher maître. Au cas où vous l'auriez oublié, je suis psychologue…

Avec un sourire complice, Hayes porta de nouveau sa bière à ses lèvres et conclut :

— Psychiatre ou psychologue, ton avis m'intéresse. Il déblatère et divague sans cesse. Il voudrait me forcer à des actes tout juste légaux et en tout cas peu conformes à l'éthique… Sans la moindre preuve de ce qu'il avance, il est convaincu que le monde entier conspire à sa perte. Aujourd'hui, il a été jusqu'à sous-entendre que si je ne pouvais lui être d'aucune utilité de manière légale, il avait le bras suffisamment long pour obtenir gain de cause par d'autres méthodes.

— Puisque tu veux mon avis, répondit Alice, ton client ne paraît pas très sociable ni très agréable à fréquenter, mais cela ne suffit pas à faire de lui un fou — sans quoi les asiles seraient bondés !

Satisfaite de son arrangement floral, Alice porta le vase sur la table et entreprit de rassembler les couverts nécessaires à leur dînette improvisée.

— Que comptes-tu faire de lui ? reprit-elle ce faisant.

— C'est le frère d'un de nos plus gros clients, dit-il avec une grimace. Au cabinet, on m'avait demandé de le ménager. Mais étant donné l'urgence de la situation, j'ai convoqué une réunion des principaux associés cet après-midi. Nous avons décidé de lui suggérer d'aller chercher conseil ailleurs...

Alors qu'elle se dressait sur la pointe des pieds pour saisir deux assiettes dans un placard, Hayes s'approcha doucement d'Alice. Les mains sur ses hanches, il déposa un baiser dans son cou et murmura :

— Mais je n'ai pour le moment aucune envie de parler boulot.

Figée sur place, son pouls battant à ses oreilles tel un tambour, Alice couina d'une voix étranglée :

— Ah non ?

Hayes enfouit son visage dans ses cheveux, inspira profondément et lança dans un soupir :

— Dieu ce que tu sens bon ! Comment fais-tu pour embaumer toujours les fleurs sauvages et le miel ?

Plaqué contre son dos, il émit un petit gémissement, de plaisir et de douleur à la fois.

— Aujourd'hui, reprit-il, je n'ai pas cessé de penser à toi — de penser à nous.

Alice s'efforça de respirer calmement, essayant de ne pas accorder trop d'importance à ces mots.

Doucement, Hayes l'incita à se retourner et la prit dans ses bras. Après avoir rivé son regard au sien, il poursuivit :

— J'ai vécu l'enfer. Assis au cours de cette réunion interminable avec mes collègues, je t'imaginais nue et livrée tout entière à mes caresses... J'écoutais mon client délirer et j'imaginais mes lèvres sur les tiennes, nos langues emmêlées. Par la pensée, je t'ai fait l'amour au moins dix fois !

Hayes resserra l'emprise de ses bras autour d'elle et demanda d'une voix pressante :

— Et toi ? As-tu également pensé à moi, ne serait-ce qu'une fois ?

Le cœur battant, la gorge sèche, Alice s'obligea à soutenir son regard sans ciller. Plutôt que de lui avouer qu'il n'avait pas une seconde quitté ses pensées, elle préféra s'amuser à prétendre :

— Oui. Peut-être une fois ou deux.

Cela le fit rire doucement, d'un rire rendu rauque par le désir. Portant la main à sa joue, il laissa ses doigts dériver lentement le long de son cou, puis s'égarer plus bas, jusqu'à sa poitrine, dont ils dessinèrent le contour. Sous le sweater, Alice sentit les pointes de ses seins durcir instantanément. Comme pour répondre à leur supplique muette, Hayes les caressa à travers le tissu.

Lentement, Hayes fit descendre ses lèvres à la rencontre des siennes, ne s'arrêtant qu'à deux doigts de les embrasser.

— N'as-tu pas rêvé toi aussi de faire l'amour ? insista-t-il. N'as-tu pas rêvé que je te caresse ainsi ?

Sa main s'aventura plus bas encore, s'insinuant sous la ceinture du jean d'Alice. Répondant malgré elle en s'arc-boutant pour mieux se prêter à la caresse, elle laissa échapper un soupir étranglé et répondit d'une voix tremblante :

— Non... Pas une fois.

— Menteuse ! s'exclama-t-il en riant. Tu devrais avoir honte de mentir ainsi.

Ce dont elle aurait dû plutôt avoir honte, songea Alice en fondant de plaisir tandis que les doigts de Hayes se faisaient de plus en plus insistants et habiles, c'était de n'être entre ses bras qu'une marionnette pantelante, entièrement livrée à lui.

Sans retenue ni remords, elle aurait envoyé au diable tout ce qu'elle savait être juste et bon pour elle afin de goûter à ses caresses — sa volonté, sa réputation, ses responsabilités...

Sheri... Brusquement ramenée à la réalité en songeant à sa protégée, Alice se redressa et repoussa Hayes de ses deux mains posées contre sa poitrine. La jeune fille ne dormait qu'à quelques pas de là. Il était encore tôt et elle pouvait fort bien se réveiller et les surprendre dans la cuisine en fâcheuse posture.

— Hayes, parvint-elle à protester faiblement tandis qu'il cherchait à s'emparer de ses lèvres. Ce n'est pas une bonne idée. Pas ici, pas maintenant... Sheri pourrait se réveiller et débarquer à l'improviste.

Hayes grogna comme un ours blessé, soupira à fendre l'âme et posa son front contre le sien. Sous sa main, Alice avait l'impression de sentir son cœur battre à tout rompre.

— Ça va aller ? demanda-t-elle avec un mince sourire d'excuse.

— Bien sûr que non, maugréa-t-il. Comment veux-tu que ça aille à présent que tu m'as mis en grandes difficultés ?

Alice laissa échapper un rire mutin.

— Si grandes que cela, maître Bradford ?

— Je te laisser juger par toi-même.

S'emparant de la main d'Alice, il la plaqua contre son entrejambe, où palpitait son désir.

— Tu vois ?

— Je vois... Peut-être que manger pourrait t'aider.

— Femme ignorante..., se lamenta-t-il. Il n'y a qu'une chose qui pourrait m'aider.

D'une rotation du bassin, Hayes se pressa contre la main d'Alice, qu'elle s'empressa de retirer.

— Maître Bradford, dit-elle avec une indignation feinte, à votre place je renoncerais à toute tentative de suborner le témoin ! La cause est entendue. Il n'y a pas à y revenir.

Peu décidé à se laisser convaincre, Hayes emprisonna de nouveau sa main dans la sienne et la posa contre son cœur.

— Et si je te disais que je vais mourir si nous ne pouvons pas faire l'amour sur-le-champ ?

Alice surprit au fond de ses yeux la lueur espiègle qui y brillait et répondit sur le même ton :

— Je te dirais que c'est une très vieille rengaine qui ne m'impressionne plus.

Avec un grognement de dépit, Hayes resserra autour de sa taille l'étau de ses bras.

— Vous ne vous en tirerez pas ainsi, docteur Dougherty. Je vous garde en otage et ne vous relâcherai qu'après avoir obtenu en dédommagement de ma grande frustration une compensation digne de ce nom.

Se haussant sur la pointe des pieds, Alice approcha ses lèvres de son oreille afin de lui chuchoter, en termes explicites, ce qu'elle se proposait — plus tard — de lui faire pour leur plaisir respectif.

— Et cela, conclut-elle à haute voix, c'est une promesse que je compte bien tenir !

10.

Les sandwichs se révélèrent délicieux. Sur du pain français croustillant, ils offrirent à leurs appétits réveillés leur content de crevettes grillées, de rondelles de tomates, de mayonnaise et de feuilles tendres de laitue.

Alice et Hayes y firent honneur dans un silence religieux, prenant prétexte de la nourriture pour tromper la gêne manifeste qui s'était établie entre eux. De temps à autre, tous deux lançaient un coup d'œil discret à la pendule.

Pourtant, plus ils surveillaient sans en avoir l'air l'écoulement du temps, moins celui-ci paraissait décidé à passer... Avec une lenteur éprouvante, les secondes s'ajoutaient aux secondes, peinant à se transformer en minutes.

En désespoir de cause, Alice mangeait. Mais lorsqu'il lui sembla mâcher du carton-pâte au lieu du délicieux sandwich qui l'avait d'abord réjouie, elle repoussa son assiette devant elle et y renonça.

Elle se surprit ensuite à dévorer des yeux la bouche de Hayes, qui semblait bien décidé à achever son repas. Quelques secondes plus tard, elle le vit en train de faire de même avec la sienne, ses yeux trahissant une attente, une faim dévorante, qu'aucun sandwich n'aurait été en mesure de calmer.

Electrisée par son regard, Alice se redressa sur sa chaise et soupira bruyamment en croisant les bras.

— C'est un vrai supplice…

A son tour, Hayes repoussa son assiette devant lui, jetant un nouveau regard nerveux à l'horloge.

— A qui le dis-tu ! Je brûle d'impatience…

— Moi aussi.

Cet aveu la fit rougir. Mal à l'aise, Alice baissa les yeux vers ses mains. Mais en se rappelant à quel endroit de son corps Hayes avait posé l'une d'elles quelques minutes auparavant, un frisson la parcourut et elle se sentit rougir de plus belle. Le pire était qu'elle grillait d'impatience d'oser ce geste de nouveau dès que cela lui serait possible. C'était à croire que cet homme avait le don de la transformer en libertine éhontée.

— S'il te plaît…, dit-elle en se forçant à soutenir son regard. Parlons de quelque chose. De tout, sauf de… enfin tu sais.

— Oui, je sais…, confirma Hayes, un sourire amer au coin des lèvres. Dieu comme je le sais !

Un nouveau silence pesant s'éternisa entre eux. Leurs regards se dirigèrent de concert vers l'horloge, et Hayes demanda, après s'être éclairci la voix :

— Selon toi, quand sera-t-il suffisamment tard ? A 10 heures ?

Alice déglutit péniblement.

— Après 10 heures, approuva-t-elle, il y a peu de risque que Sheri se réveille.

— Tant mieux. Il est presque 10 heures.

— Il est 9 h 20…

— C'est bien ce que je disais — presque 10 heures.

Cherchant désespérément un sujet de conversation neutre et sans danger, Alice prit une longue inspiration et se lança :

— Comment allait Jeff, ce matin ?

Hayes secoua la tête.

— Je n'en sais rien. Il a passé la nuit chez son cousin.

— Chez son cousin ? répéta-t-elle en fronçant les sourcils.

— Ils ont un match à l'extérieur aujourd'hui, alors plutôt que de reprendre l'autoroute ce matin...

— Tu veux dire que tu ne lui as pas parlé hier non plus ?

— Non, reconnut-il en se renfrognant à son tour. Pourquoi me demandes-tu cela ?

Consciente qu'elle s'aventurait en terrain miné, Alice se mordit la lèvre.

— Hayes, j'ai quelque chose à te dire.

— Aïe ! s'exclama-t-il en grimaçant. J'ai comme l'impression que je ne vais pas apprécier ce que je vais entendre...

Alice aurait aimé pouvoir l'assurer du contraire. A défaut, elle préféra aller droit au but.

— Jeff n'était pas chez son cousin hier soir. Il est passé ici voir Sheri dans la soirée. Ils sont restés un long moment ensemble dans sa voiture. C'est elle qui me l'a avoué ce matin avant mon départ au travail.

Les mâchoires crispées, Hayes jura entre ses dents et se dressa d'un bond, faisant racler sa chaise sur le sol. Posté devant la fenêtre, il contempla un long moment les ténèbres extérieures avant de lâcher d'une voix sans timbre, sans se retourner :

— Il m'a menti. En rentrant j'ai trouvé un message sur le répondeur. Il me disait qu'à cause du match de ce soir il restait dormir chez Stan. Je n'ai pas appelé pour vérifier. Je n'ai pas douté une seconde qu'il disait vrai.

Après un court instant d'hésitation, Alice décida de vider l'abcès jusqu'au bout.

— Je suis désolée, mais il y a pire. Jeff a demandé à Sheri de l'épouser. Elle a accepté.

Le cœur serré, Alice vit Hayes accuser le coup. Ses épaules s'affaissèrent brusquement. Il passa une main lasse dans ses cheveux.

— Il m'avait dit qu'il en avait l'intention, précisa-t-il à mi-voix. Mais j'espérais encore que…

Renonçant à poursuivre, il soupira et se retourna d'un bloc pour lui faire face. L'expression de profonde détresse qu'elle lut sur son visage la bouleversa tant qu'elle ne put résister à l'envie de se lever à son tour pour le rejoindre.

Pour l'inciter à la regarder dans les yeux, Alice serra entre ses mains les joues de Hayes.

— Ils s'aiment tellement… Ils ne veulent plus se quitter. La force de cet amour est une bonne chose pour eux. Quant à Sheri, je t'assure que c'est une personne de valeur.

— Ils commettent une erreur qu'ils regretteront toute leur vie, maugréa-t-il d'un air sombre. Pourquoi ne s'en rendent-ils pas compte ?

— Tu as fait tout ce que tu pouvais pour le leur faire comprendre. Mais à présent que leur décision est prise, tu dois t'incliner. Efforce-toi de voir dans ce mariage un commencement, Hayes. Pas une fin…

— Si seulement je le pouvais !

Luttant manifestement afin de ne pas laisser la colère le submerger, Hayes se détourna pour se plonger de nouveau dans le spectacle nocturne offert par la fenêtre.

— Ce n'est pas Sheri qui me pose problème, reprit-il. Crois-moi, Alice — je n'ai rien contre elle. Mais je ne peux tout de même pas laisser mon fils abandonner ses études, et détruire son avenir sans réagir. Je veux croire qu'il y a encore un moyen de le ramener à la raison...

Touchée autant par sa détresse que par l'amour pur et sincère qui unissait Jeff et Sheri, Alice rejoignit Hayes. Un bras passé autour de sa taille, elle appuya sa tête contre son épaule et dit :

— Il faut te faire une raison... Que cela te plaise ou non, Jeff et Sheri vont se marier. Aide-les au lieu de les combattre. Essaie de les comprendre.

— Je ne sais pas si j'en suis capable.

A son tour, il entoura sa taille de son bras et reprit :

— Je ne suis pas très doué pour ce genre de choses — l'empathie, la compréhension. Pour moi, il n'y a que de bons ou de mauvais choix. Tu m'aideras ?

— Si tu le veux vraiment.

Il l'attira contre lui et attendit d'avoir capté son regard pour conclure :

— Je le veux.

Alice posa ses mains à plat contre sa poitrine, les laissa remonter vers ses épaules.

— Je regrette d'avoir abordé ce sujet, dit-elle. J'ai un peu détruit l'ambiance...

Hayes baissa lentement ses lèvres à la rencontre des siennes, s'arrêtant juste avant de l'embrasser.

— En ce qui me concerne, murmura-t-il, l'ambiance est toujours aussi... électrique.

Instinctivement, Alice se pressa contre lui, troublée de sentir à quel point il disait vrai. Du bout des dents, il s'amusa à mordiller sa lèvre inférieure et demanda :

— Quelle heure est-il ? Suffisamment tard, selon toi ?

— Bien suffisamment ! répondit-elle dans un sourire.

Aussitôt, les lèvres de Hayes capturèrent les siennes, avec une passion d'autant plus forte que trop longtemps contenue. Alice lui rendit son baiser avec ardeur, sans restriction aucune, résignée à lui prouver par des actes plutôt que par des mots à quel point il lui avait manqué.

Quand il leur fallut bien l'un et l'autre reprendre leur souffle, Hayes l'entraîna dans ses bras vers la chambre avec un gémissement de plaisir anticipé. Le lit semblait les attendre, confortable et complice. Ils s'y enfouirent après s'être déshabillés en hâte sans jamais rompre leur étreinte ni cesser de s'embrasser.

Ils firent l'amour avec fougue et tendresse, tout à la fois de manière langoureuse et débridée. Hayes prit son temps pour amener Alice, usant de toutes les ressources de son corps déchaîné, à des sommets de jouissance qu'il lui semblait ne jamais avoir connus. Alice se prêta à toutes ses caresses, à toutes ses fantaisies, gémissante et arc-boutée sur le matelas. Et lorsque finalement leurs deux corps furent unis au plus intime, elle cria son nom si fort qu'il dut la faire taire en posant sa main sur sa bouche pour ne pas risquer de réveiller Sheri.

Dans ses bras, alors que leurs corps retrouvaient d'eux-mêmes le rythme de la danse de plaisir qui les mènerait à l'extase, Alice eut l'impression d'avoir un avant-goût du paradis. Hayes s'accrochait à elle presque désespérément. Et bien qu'il lui murmurât des mots de passion et non d'amour, elle devina une urgence, un besoin en lui, qui n'avaient rien à voir avec le seul désir et qu'elle n'avait jamais ressentis auparavant.

Lorsqu'elle comprit ce qui sous-tendait leur étreinte, Alice en eut les larmes aux yeux et faillit se mettre à crier sa joie. Hayes avait *besoin* d'elle, même s'il ne se laissait aller pour l'instant à le montrer que dans le feu de la passion. Il ne lui avait jamais été possible de le constater auparavant. Douze ans plus tôt, quand il avait choisi de mettre fin à leur union, il l'avait fait sans trahir le moindre doute ou le moindre regret.

Comme une fleur d'autant plus belle que dangereuse, l'espoir avait commencé à s'épanouir dans le cœur d'Alice. L'espoir qu'au bout du compte, en dépit de tout ce qui les avait séparés, leur histoire puisse connaître un jour la fin heureuse à laquelle elle aspirait.

Lorsque leurs corps comblés se séparèrent, elle déposa un baiser rapide sur les lèvres de Hayes et murmura :

— C'était merveilleux.

Hayes eut un petit sourire modeste et rectifia :

— C'est toi qui étais merveilleuse…

— Oui, tu peux le dire, dit-elle avec un rire satisfait. Mais l'un n'empêche pas l'autre.

Ils s'embrassèrent longuement, et lorsque leurs lèvres se séparèrent, Alice demanda, non sans inquiétude :

— Quand dois-tu rentrer ?

— Bientôt, répondit Hayes en faisant la grimace. J'aimerais rester, mais Jeff doit m'attendre à la maison. Du moins, si j'en crois ce qu'il m'a dit hier. Et d'après ce que je viens d'apprendre, rien n'est moins sûr.

Pour le faire taire, Alice posa un doigt sur sa bouche et protesta :

— Arrête… Ne gâchons pas les quelques instants qui nous restent.

— Désolé.

Un sourire contrit au coin des lèvres, Hayes repoussa les mèches humides de transpiration qui masquaient le visage d'Alice.

— Seigneur ! lâcha-t-il dans un soupir. Ce que tu peux être belle…

Alice se sentit rougir comme une adolescente, et pour masquer son embarras suggéra :

— Encore cinq minutes... D'accord ?

— J'aurais préféré cinq heures !

— C'est toujours mieux que rien, tu ne crois pas ?

Il ne lui répondit pas, et un silence troublé seulement par le tic-tac de la pendule retomba entre eux. Les cinq minutes passèrent comme cinq secondes. Au moment où Alice s'apprêtait à ouvrir la bouche pour proposer un nouveau délai, la sonnerie du téléphone retentit sur la table de nuit, les faisant sursauter tous deux.

Le premier instant de surprise passé, ils se mirent à rire et se redressèrent de concert dans le lit. Après avoir constaté à la pendulette qu'il était plus de 11 heures, Alice décrocha à la troisième sonnerie.

— Allô ? dit-elle, d'une voix encore voilée par le plaisir.

Après une brève hésitation, une voix qu'elle aurait reconnue entre mille lança :

— Alice... C'est toi, mon chou ?

A ces mots, un frisson glacé lui parcourut l'échine. Elle reconnaissait sans peine la voix qui avait transformé son enfance en enfer, et qui la poursuivait encore parfois dans ses cauchemars...

Du coin de l'œil, Alice observa Hayes. Il était en train de rassembler ses vêtements disséminés dans la pièce pour entreprendre de s'habiller. Pourquoi fallait-il que ce coup de fil lui parvienne précisément à cet instant ? se demandat-elle. Pourquoi fallait-il que sa mère ait choisi pour se manifester le moment où elle nageait en plein bonheur et où Hayes pouvait surprendre leur conversation ?

Après s'être éclairci la gorge, elle parvint à répondre d'une voix neutre :

— Oui. Alice Dougherty à l'appareil.

— Mais, bébé..., protesta la voix geignarde à l'autre bout du fil. C'est moi, ta maman... Tu ne reconnais pas ma voix ?

Incapable de s'en empêcher, Alice se mit à trembler de tous ses membres. Comme si cela avait pu suffire à effacer une réalité déplaisante, elle fit comme autrefois quand elle était petite et ferma obstinément les yeux. La voix de sa mère à elle seule suffisait à soulever en elle une marée de sensations nauséeuses. De peur de sentir l'odeur douceureuse et entêtante du bourbon, elle n'osait plus respirer. Après avoir pris naissance sur sa nuque, une suée de panique dévalait le long de son dos. Son estomac se soulevait d'appréhension et il lui fallut faire appel à toute sa volonté pour ne pas se ramasser en chien de fusil sur le lit afin de se protéger des coups qui n'allaient pas manquer de pleuvoir.

Espèce de petite feignante ! criait sous son crâne la voix d'autrefois. Tu n'as jamais valu grand-chose et tu ne vaudras jamais rien, tu m'entends ? Tu n'es rien qu'une petite garce incapable et paresseuse qui ne mérite même pas l'air qu'elle respire !

Alice inspira à fond et serra très fort le combiné entre ses doigts pour se donner la force de répondre d'une voix aussi calme et neutre qu'elle le put :

— Cela fait des années...

Un rire rauque s'achevant en quinte de toux retentit dans l'écouteur.

— Bien trop longtemps pour une maman et sa fille...

Sa mère marqua une pause, comme si elle attendait un commentaire de sa part. Ne voyant rien venir, elle se résolut à enchaîner, d'une voix un tantinet accusatrice.

— Tu n'as pas répondu à mes lettres.

— Non.

Le mot était sorti de ses lèvres sans aucune force, d'une voix étranglée. Alice se maudit de n'avoir pas eu le pouvoir de le rendre plus puissant. Elle aurait voulu se montrer forte, confiante, assurée. Elle n'était plus la petite fille terrorisée d'autrefois. Pourtant, la réplique suivante de sa mère suffit à la replonger dans un océan d'effroi.

— Je voudrais te voir.

Comme alerté par un sixième sens, Hayes cessa de s'habiller et se tourna vers elle pour la dévisager. Alice soutint son regard un bref instant avant de détourner les yeux. Pour rien au monde elle n'aurait voulu le mêler à la réapparition de sa mère dans sa vie. Elle ne voulait même pas lui en parler. Si elle le faisait, elle craignait trop de s'effondrer complètement et de s'en remettre à lui.

Elle lui avait juré qu'elle ne réclamerait aucune promesse, pas d'engagement sur le long terme, ni le moindre investissement personnel. Elle ne pouvait prendre le risque de manquer à sa parole.

— Alice ? insista sa mère à l'autre bout du fil. Tu m'entends ? Je veux te voir.

Avec la conviction qu'elle aurait dû tout de suite lui répondre qu'elle n'était pas intéressée, Alice s'entendit expliquer :

— Ce n'est pas le moment idéal pour en discuter. Rappelle une autre fois. Au revoir.

Le cœur battant si fort qu'il lui semblait que Hayes pouvait l'entendre, elle raccrocha précipitamment. La colère et le désappointement le disputaient en elle à l'incompréhension. Qu'était devenue la jeune femme indépendante et sûre d'elle qu'elle se targuait d'être ? Elle n'avait même pas été capable de dire à sa mère la vérité et avait dû trouver un prétexte pour se débarrasser d'elle.

Après tout, songea-t-elle avec désespoir, peut-être Hayes avait-il raison. Peut-être n'avait-elle pas changé autant qu'elle se l'était imaginé. Les larmes perlaient à ses paupières. La désillusion était d'autant plus cruelle qu'elle fauchait, à peine écloses, ses espérances de voir leur relation évoluer favorablement avec le temps.

— Alice ? s'inquiéta Hayes qui n'avait pas cessé de l'observer du coin de l'œil, tout en s'habillant. Quelque chose ne va pas ?

Vaillamment, elle se força à soutenir sans ciller son regard inquisiteur, s'arrangeant pour masquer ses doutes et sa détresse. Elle ne lui permettrait pas de penser qu'elle était toujours la jeune fille qu'il avait connue autrefois, même si elle commençait elle-même à le redouter…

Avec un sourire conquérant, elle repoussa le drap et sauta d'un bond au bas du lit.

— Rien du tout, répondit-elle. Pourquoi demandes-tu cela ?

— Cet appel, précisa-t-il en renouant sa cravate. Tu as eu… l'air bizarre tout à coup.

— C'est vrai ? Ce doit être parce que je suis fatiguée.

L'air de rien, elle enfila sa robe de chambre et noua sa ceinture.

— Qui était-ce ? insista-t-il.

— Personne !

Les mains de Hayes s'immobilisèrent sur son nœud de cravate. Les sourcils froncés, il la dévisagea un instant avant de lancer sèchement :

— Je ne te crois pas.

Comment aurait-elle pu s'en étonner ? Un coup de fil impromptu à 11 heures du soir qui lui faisait autant d'effet ne pouvait passer pour anodin.

— C'était quelqu'un que j'ai connu il y a longtemps, reconnut-elle. Quelqu'un… de qui je me suis séparée en mauvais termes.

Hayes continuait à la dévisager d'un air inquisiteur. Il fallait à Alice tout son courage pour ne pas ciller.

— Etait-ce… Stephen ? demanda-il enfin.

— Stephen ? répéta-t-elle avec soulagement. Mon ancien fiancé ?

Un sourire amusé flotta sur ses lèvres, chassant de son esprit les derniers échos déplaisants du coup de fil de sa mère.

— Non, répondit-elle. Ce n'était pas Stephen. Et ce n'était même pas un homme. Mais tu me flattes de l'avoir soupçonné…

Après avoir enfilé sa veste, Hayes traversa la pièce pour la rejoindre et la prit rudement dans ses bras.

— La seule idée de te voir parler à un homme me rend malade de jalousie, grogna-t-il en plongeant au fond de ses yeux. Et le fait que tu puisses le faire du fond de ton lit à 11 heures du soir me donne l'envie de t'attraper par les cheveux pour t'entraîner jusque dans ma tanière…

Alice émit un soupir énamouré et se coula contre lui.

— Mmm…, dit-elle d'une voix cajoleuse. J'aime réveiller l'homme primitif en toi.

Avec une farouche énergie, Hayes plaqua sa bouche contre la sienne pour un baiser passionné.

— Je dois y aller, conclut-il à regret. Tu es sûre que ça va aller ?

— Je vais bien, ne t'inquiète pas.

Résistant au désir de s'accrocher à lui pour le retenir, Alice se força à sourire et le poussa devant elle.

— Je te raccompagne à la porte.

Avant de se résoudre à sortir, Hayes se retourna pour l'embrasser, puis, sur un dernier adieu murmuré, fit demi-tour et s'éloigna.

Depuis le seuil, Alice le regarda regagner sa voiture, la gorge serrée. Avant qu'il ne se soit tout à fait fondu dans la nuit, il s'arrêta et lança par-dessus son épaule un regard perplexe dans sa direction. Troublée, elle lui envoya un baiser du bout des doigts puis rentra dans la maison et referma la porte.

Cédant au mélange de désespoir et d'épuisement qui d'un coup fondit sur elle, Alice posa le front contre le panneau de bois et resta immobile. De la rue parvinrent les bruits caractéristiques d'une portière qu'on claque, d'un moteur qui démarre et de pneus crissant sur le gravier. Hayes était parti. En proie à une étrange tristesse, elle tenta de se convaincre qu'elle le reverrait bientôt. Mais une part d'elle-même ne pouvait s'empêcher de se demander à quel moment il la quitterait *pour de bon...*

Les larmes qu'elle refoulait depuis l'instant où elle avait reconnu la voix de sa mère jaillirent brutalement de ses yeux, sans qu'elle puisse rien faire cette fois pour les retenir. L'espoir qu'elle avait conçu de voir un jour Hayes partager sa vie lui apparaissait à présent insensé. C'était comme si son passé avait brusquement décidé de jaillir comme un diable de sa boîte à malice pour ruiner toutes ses espérances et ses chances d'avenir.

Comprenant qu'il ne lui servirait à rien de se laisser aller à ruminer sa détresse, Alice s'arracha à la porte et se força à gravir l'escalier. Le lendemain, décida-t-elle, elle appellerait Meg pour lui demander conseil. Sa mère adoptive avait toujours eu le don de l'aider à voir clair en elle, à se sortir des situations difficiles. Grâce à son écoute attentive et à son soutien sans faille, elle pourrait remettre en perspective la soudaine réapparition de sa mère biologique et prendre une décision la concernant.

Consolée par cette perspective, Alice se sécha les yeux et regagna son lit le cœur à peu près en paix.

Pourtant, Alice ne se résolut à appeler sa mère adoptive ni le lendemain, ni le surlendemain. Chaque fois que ses yeux se posaient sur le téléphone, elle trouvait une excuse pour ne pas composer le numéro de Meg Niven-Adler.

Elle n'était pas dupe et savait qu'ignorer le problème ne l'aiderait pas à le résoudre. Mais au fond d'elle-même, c'était un peu comme si se boucher les yeux pouvait l'aider à supporter la réalité.

Ses relations avec Hayes, quant à elles, continuèrent au cours des jours suivants à être marquées du même sceau d'incertitude et de malentendu. La seule différence notable était que depuis qu'ils avaient fait l'amour chez elle, le fatalisme d'Alice confinait à la résignation. Tous les deux, ils continuaient de se voir, d'être amants, d'en retirer le plus grand plaisir, mais leur relation manquait singulièrement d'intimité émotionnelle.

Aussi inexorablement que la mer se retire à marée basse, Hayes s'éloignait d'elle. Alice avait du mal à supporter cet éloignement progressif. Physiquement, ils étaient aussi proches qu'un homme et une femme peuvent l'être. C'était hors du lit qu'un mur semblait les séparer. Un mur infranchissable, indestructible, de jour en jour plus haut.

Debout dans un rayon de soleil qui passait par la fenêtre de la cuisine, Alice consulta sa montre. Si Sheri ne se pressait pas un peu, songea-t-elle, elles seraient en retard. Après tout, conclut-elle pour elle-même, cela n'avait guère d'importance et Meg ne leur en voudrait certainement pas. Les yeux dans le vague, elle se perdit à nouveau dans ses pensées.

Hayes ne parlait jamais de ses sentiments à son égard — à supposer qu'il en éprouve. Il ne lui parlait jamais non plus d'avenir, et encore moins d'amour. Il lui était difficile de ne pas en conclure que c'était parce qu'ils n'avaient pas d'avenir ensemble...

Sous l'effet de la déception, Alice serra les poings si fort que ses ongles s'imprimèrent dans la chair de ses paumes. Le pire était que les heures qu'elle passait à ses côtés n'étaient pas sans lui rappeler celles qu'elle avait vécues autrefois... avant qu'il ne la quitte.

Dans ses yeux, il lui semblait lire parfois la peur d'un animal pris au piège, cherchant désespérément un moyen de s'échapper. Elle avait ressenti la même chose, douze ans auparavant, peu de temps avant qu'elle ne perde le bébé qu'elle attendait et qu'il mette fin à leur relation. Chaque jour, elle se demandait combien de temps il leur restait encore avant que les mêmes causes ne produisent les mêmes effets.

Avec un soupir, Alice traversa la cuisine jusqu'à la table au centre de laquelle trônait un bouquet printanier. Du bout du doigt, elle effleura l'un des pétales et le trouva tendre et doux, fragile et offert — exactement comme elle l'était vis-à-vis de Hayes.

Avec un haussement d'épaules, Alice retira sa main et s'activa machinalement à recomposer le bouquet. Quand elle était avec Hayes, elle s'employait scrupuleusement à ne rien laisser transparaître de son état d'esprit, de ses doutes et de sa détresse. Elle s'arrangeait pour conserver à leurs retrouvailles le caractère léger et impersonnel qu'il tenait à leur donner.

Pour elle, c'était le challenge le plus difficile auquel elle eût jamais été confrontée. Elle mourait d'envie de s'accrocher à lui, de lui parler, de le secouer, de pleurer et de supplier, de percer ses défenses pour le forcer à se déterminer. Elle aurait fait n'importe quoi pour qu'il lui accorde enfin son amour — tout en sachant qu'elle ne l'aurait jamais.

— Je suis presque prête ! s'écria Sheri depuis sa chambre. Je n'ai plus qu'à me coiffer…

— Prends ton temps, répondit Alice en forçant sa voix. Je vais t'attendre sous le porche.

Lorsqu'elle y parvint, elle s'accouda à la rambarde et offrit avec délice son visage au soleil. Le printemps avait finalement décidé de débarquer en force. Couleurs et odeurs de la Louisiane en avril étaient partout, riches et brillantes. En quelques jours, la température déjà agréable était devenue une bonne chaleur de saison.

Sheri et elle étaient attendues ce jour-là chez sa mère adoptive pour le déjeuner. Meg avait prévu de les régaler du récit de sa seconde lune de miel à Paris, dont elle rentrait à peine.

Un sourire affectueux passa sur les lèvres d'Alice. Lorsqu'elles en avaient discuté l'autre jour, Meg lui avait parue aussi excitée et amoureuse qu'une jeune mariée. Royce Adler, le plus romantique et le plus attentionné des hommes, le lui rendait bien. Jamais elle n'avait connu de couple plus uni et plus heureux que celui que formaient ces deux-là…

Le sourire d'Alice se fana sur ses lèvres et elle en comprit vite la raison. Même si elle était heureuse pour eux, elle enviait ce qu'avaient Royce et Meg et qu'elle n'avait pas.

Des larmes s'accumulèrent au coin de ses paupières, qu'elle s'efforça de retenir. Elle n'était pas certaine d'avoir envie de discuter de ses problèmes avec sa mère adoptive. Outre qu'elle ne voulait pas l'inquiéter, elle s'en serait voulu de gâcher la joie de son voyage à Paris. Elle n'était pas même sûre d'avoir envie de lui parler de la soudaine réapparition de sa mère biologique.

Alice serra fortement la rambarde de bois. Depuis son premier appel nocturne, sa mère avait rappelé plusieurs fois. Mais fort heureusement pour elle, elle était absente chaque fois et n'en avait eu connaissance que grâce au répondeur.

Suite à ces messages, Alice n'avait pu se résoudre à la rappeler, ce dont elle n'était pas fière. Dans cette affaire, elle se reprochait de manquer de courage et d'humanité. En fait, elle n'avait pas la moindre envie d'affronter le problème. Si seulement sa mère pouvait se lasser et ne plus rappeler, elle s'en sentirait grandement soulagée…

— Prête !

Surprise par Sheri, Alice fit volte-face et lui sourit. La jeune fille portait un ensemble de maternité couleur pêche qu'elles avaient choisi la veille toutes les deux.

— Tu es ravissante.

Sheri baissa les yeux pour observer sa tenue d'un air dubitatif et murmura :

— Merci.

Au ton de sa voix, il parut évident à Alice qu'elle ne la croyait pas sincère. Elle avait remarqué à quel point Sheri semblait soucieuse de son apparence depuis quelque temps. Elle se comportait comme s'il lui fallait redoubler d'efforts pour rester jolie, à présent que sa grossesse était manifeste.

204

Du coin de l'œil, Alice ne cessa d'observer sa protégée tandis qu'elles rejoignaient sa voiture. On ne pouvait pas dire que Sheri ait été très heureuse, ces derniers temps. Son moral était passé par toutes les nuances du noir au gris. Son humeur était des plus fluctuantes. Elle espérait que cette visite à Meg et à ses enfants lui ferait autant de bien qu'à elle et lui permettrait de voir les choses sous un jour nouveau.

A sa décharge, il fallait reconnaître que sa grossesse ne se déroulait pas au mieux. Sheri alternait des périodes d'intense excitation et de longues phases d'abattement au cours desquelles elle se sentait épuisée et nauséeuse. Une récente échographie avait révélé que le bébé ne se développait pas comme il l'aurait dû.

Rassurante, le Dr Bennett avait affirmé que tous les fœtus ne grossissaient pas au même rythme. Elle s'était montrée cependant suffisamment préoccupée pour recommander à Sheri de rester allongée au minimum la moitié de la journée et d'éviter tout stress et tout effort physique.

Alice restait pourtant persuadée que le problème de Sheri était bien plus d'ordre psychologique. En fait, elle pensait que ses troubles physiques n'étaient qu'une manifestation psychosomatique de la situation délicate et incertaine dans laquelle elle se trouvait.

— Tu vas bien ?

Elles venaient de grimper dans la voiture et de boucler leurs ceintures. Avant de démarrer, Alice n'avait pu s'empêcher de faire une nouvelle tentative pour communiquer avec sa protégée, tant celle-ci paraissait morose.

— Pas de problème…, maugréa la jeune fille, sans la regarder et sans répondre vraiment à sa question.

Alice eut le cœur serré pour elle. Les yeux de Sheri traduisaient avec éloquence la tristesse et le désarroi qui l'habitaient, mais pour rien au monde elle n'aurait voulu la brusquer.

— Très bien…, conclut-elle avec fatalisme en tournant la clé de contact. Dans ce cas, allons-y.

Durant le trajet, Sheri ne desserra pas les lèvres. Alice fit quelques tentatives pour amorcer une conversation, mais l'adolescente se garda bien d'y répondre. Le visage obstinément tourné vers la vitre de sa portière, le regard vide, rien ne trahissait sa nervosité à part le fait qu'elle mordillait sans cesse sa lèvre inférieure.

A leur arrivée chez Meg, elles furent accueillies par la musique réjouissante de rires enfantins. En descendant de voiture, il leur fallut enjamber une demi-douzaine de bicyclettes abandonnées à même le sol.

Ce fut Josh, le fils des Adler âgé de huit ans, qui les aperçut le premier. Fendant le groupe d'enfants aussi en sueur et excités que lui avec qui il était en train de jouer, il bondit vers elles, le visage fendu par un large sourire.

— Tante Alice !

Avec un sourire identique au sien et un même bonheur de le revoir, Alice s'accroupit et tendit les bras pour l'y accueillir. En riant, le garçonnet se jeta contre elle et se pendit à son cou. Déposant deux gros baisers sur ses joues, elle le serra fort et s'immergea dans son odeur caractéristique d'enfant en pleine santé.

— Tu m'as tellement manqué…, murmura-t-elle en le dévorant des yeux. J'ai l'impression que tu as encore grandi d'une tête depuis la dernière fois que je t'ai vu !

A ces mots, Josh se rembrunit.

— Manda me traite de *grande perche*…, maugréa-t-il. Et moi, je n'aime pas ça !

— Ne t'inquiète pas…, le rassura Alice en lui ébouriffant les cheveux. Un jour, ce sera toi qui pourras l'appeler comme ça.

Josh s'abîma dans une intense réflexion, méditant sans doute sa revanche. Amusée, Alice le gratifia d'un nouveau baiser et ajouta :

— Je suppose que tu es content d'avoir de nouveau tes parents près de toi…

— Ça oui ! s'écria-t-il avec enthousiasme. Ils m'ont rapporté une grande tour Eiffel de Paris. Avec un ascenseur !

Une grimace de dégoût lui fronça le nez et il ajouta :

— A Manda, ils lui ont juste rapporté un drôle de chapeau.

— Ce « drôle de chapeau » s'appelle un *béret*…, expliqua Amanda depuis le seuil de la maison où elle venait d'apparaître.

Après les avoir rejoints sous le porche, elle toisa son frère avec toute la supériorité de ses treize ans et demi avant de préciser :

— Tous les vrais artistes en ont un…

— Ah ouais ? rétorqua-t-il. Alors papa et maman se sont trompés en t'en ramenant un !

Pour faire bonne mesure, il lui tira la langue et croisa dignement les bras.

— A ta place, je surveillerais mes paroles ! dit-elle en fondant sur lui d'un air menaçant. Ce n'est pas une grande perche comme toi qui…

Dans l'espoir d'éviter l'affrontement, Alice intercepta Amanda au passage et la serra dans ses bras.

— Comment vas-tu ? s'enquit-elle en caressant ses longs cheveux noirs. De jour en jour, tu deviens le portrait craché de ta mère…

— C'est pas très gentil pour maman ! intervint Josh, s'attirant un nouveau regard noir de sa sœur.

Au terme de quelques nouveaux échanges acerbes entre eux, Alice parvint à leur présenter Sheri, avant de se diriger avec elle vers la maison où Manda lui avait indiqué que Meg les attendait. Celle-ci les accueillit sur le seuil, aussi souriante et radieuse qu'à l'accoutumée.

— Ce sont mes enfants qui se disputent ainsi ?

— A ton avis ? répondit Alice en l'embrassant affectueusement sur les deux joues.

Meg soupira.

— J'ai bien peur de les retrouver un de ces jours en train de s'écharper pour de bon...

— Josh est bien trop malin pour ça. Il attend d'avoir grandi un peu.

Avisant le regard consterné que lui lançait Meg, Alice éclata de rire et vint la prendre par les épaules.

— Ne t'en fais pas, la rassura-t-elle. Tu sais combien ils s'adorent tous les deux.

— Je le sais bien, assura Meg avec un sourire résigné. J'aimerais simplement qu'ils s'aiment de manière un peu plus civilisée.

Se tournant vers Sheri, elle lui tendit la main.

— Enchantée de vous rencontrer enfin, dit-elle avec un sourire qui prouvait qu'elle l'était vraiment. J'ai tellement entendu parler de vous ! Suivez-moi. Nous allons pouvoir déjeuner.

Des jouets épars étaient répandus d'un bout à l'autre de l'élégante vieille demeure.

— Ne faites pas attention au désordre ! s'excusa Meg avec un sourire confus. Il semble que cette maison soit devenue avec le temps la garderie du quartier...

— Oui, approuva Alice avec un rire complice. Mais tu oublies de préciser que tu adores ça !

Meg haussa les épaules et murmura à l'intention de Sheri, d'un air de conspiratrice :

— Le pire, c'est qu'elle n'a pas tort, aussi dément que cela puisse paraître. Je détesterais voir mes enfants déserter ma maison pour aller jouer ailleurs avec leurs amis. Que ferais-je de toute cette tranquillité retrouvée ?

Meg avait préparé pour le déjeuner une salade de crevettes accompagnée de tomates créoles, qu'elle servit avec du pain français croustillant et des grappes de raisin vert. Elles mangèrent toutes trois au soleil, sous le porche, et durant tout le repas Meg fit le récit vivant et drôle de son voyage avec Royce.

Au fur et à mesure, Alice vit avec plaisir Sheri se détendre et prendre part à la conversation. Sans s'en rendre compte, la jeune fille était sous le charme de leur hôtesse, envoûtée par cette ambiance spéciale qu'elle savait créer autour d'elle. Meg avait cet effet bénéfique sur tout le monde, riche ou pauvre, jeune ou vieux, conservateur ou libéral. Personne ne pouvait côtoyer Meg Niven-Adler sans être contaminé par sa joie de vivre et sa fraîcheur.

Quand le déjeuner eut pris fin — couronné par un gâteau au chocolat à faire se damner un saint —, les enfants firent leur apparition comme par enchantement pour réclamer leur part du dessert et enrôler Sheri pour une partie de Monopoly.

Réjouie à l'idée de passer un moment seule avec Meg, Alice l'aida à débarrasser la table. Ces rares moments d'intimité qui lui rappelaient le temps où elle avait vécu sous ce toit lui étaient précieux. Tout ce qu'il y avait de bon dans son existence, les sentiments positifs qu'elle nourrissait envers elle-même et les autres, c'était à Meg et à son amour maternel indéfectible qu'elle les devait.

Dans la cuisine, aussitôt après avoir déposé la pile d'assiettes sales dans l'évier, elle se retourna vers elle et lui avoua :

— J'ai quelque chose à te dire.

Immédiatement alertée et prête à lui venir en aide, Meg releva les yeux et la dévisagea intensément.

— A t'entendre, ça a l'air sérieux...

— Ma mère a repris contact avec moi, lâcha-t-elle d'une traite. Elle désire me voir.

Le visage figé, Meg prit soin de déposer ce qui lui encombrait les mains sur le plan de travail avant de répéter d'un air incrédule :

— Ta mère désire te revoir ? Après tout ce temps ?

Pour les empêcher de trembler, Alice enfouit ses mains au fond de ses poches et hocha la tête.

— Mon père est mort, précisa-t-elle d'une voix neutre. Il y a quelques mois.

— Je suis désolée...

Alice haussa les épaules.

— Pas la peine, maugréa-t-elle. Ce n'était ni un bon père, ni un échantillon reluisant d'humanité...

— C'est le moins qu'on puisse dire, reconnut Meg avec un soupir. Mais c'était tout de même ton père. Et naturellement, à présent qu'elle se retrouve seule, ta mère voudrait renouer des liens avec sa fille unique et se rappelle à ton bon souvenir.

— C'est ce qu'elle affirme.

Durant un long moment, Meg resta silencieuse, se contentant d'observer d'un air grave sa fille adoptive.

— Et toi ? demanda-t-elle enfin après s'être éclairci la voix. Qu'est-ce que tu en penses ?

Meg hocha la tête.

— Je veux qu'elle me fiche la paix. Je veux que ma vie redevienne ce qu'elle était avant qu'elle ne fasse irruption sans crier gare.

— C'est ce que tu lui as répondu ?

— Non.

Alice sortit ses mains de ses poches et les tordit devant elle, en un geste maladroit d'excuse et de culpabilité.

— C'est juste que… ce n'est pas facile, tu sais. Je me fais l'effet d'une mauvaise fille. Elle souhaite reprendre notre relation où nous l'avions laissée. Je me sens un peu obligée de…

Le rouge de la colère fit flamber les joues de Meg, dont le regard trahit aussitôt la fureur.

— Et où exactement souhaite-t-elle les reprendre ? Au moment où elle te battait avant de t'enfermer dans le placard à balais ?

Meg virevolta sur elle-même et laissa échapper un claquement de langue agacé.

— Excuse-moi, bougonna-t-elle. Je voudrais être impartiale pour te laisser prendre ta décision sans t'influencer mais cela me met tellement en colère !

Les larmes aux yeux, Alice laissa fuser un rire grinçant.

— Ne t'excuse pas ! murmura-t-elle. Et ne te gêne pas pour être partiale. J'ai bien besoin qu'on le soit pour moi…

Incapable de se retenir plus longtemps, Meg fit un pas vers elle et la prit dans ses bras.

— Oh, Alice, lui murmura-t-elle à l'oreille. Je suis tellement désolée.

Alice s'agrippa à elle presque désespérément.

— Peut-être a-t-elle changé ? dit-elle d'une voix hésitante. Je peux au moins lui accorder le bénéfice du doute. Après tout, c'est mon métier de faire en sorte que les gens puissent changer et devenir meilleurs. Cela arrive...

Meg sourit tristement.

— Tu n'as aucune obligation morale envers elle.

— C'est bien là le problème, soupira-t-elle. Je n'en suis pas si sûre. De toute façon, elle paraît décidée à me harceler jusqu'à ce que je cède.

— Je ne veux pas te voir souffrir.

Avec un sourire rassurant, Alice se haussa sur la pointe des pieds et déposa un baiser sonore sur la joue de sa mère adoptive.

— Je sais...

Gagnant la fenêtre, elle observa le jardin ensoleillé.

— Mais il y a autre chose, dit-elle au bout d'un instant en se retournant pour capter le regard de Meg. Je me suis engagée... dans une relation avec un homme.

— Engagée ? répéta Meg, les yeux brillants. Tu veux dire que tu as rencontré quelqu'un ?

— En quelque sorte.

Incapable de soutenir le regard de sa mère adoptive, Alice baissa les yeux. Comment aurait-elle pu lui avouer que l'homme avec qui elle était engagée était celui-là même qui lui avait brisé le cœur douze ans auparavant ? Meg avait été son soutien le plus fidèle et le plus efficace pour l'aider à surmonter ce chagrin d'amour. Elle ne comprendrait pas qu'elle décide de renouer avec Hayes. D'autant qu'elle-même ne lui avait jamais pardonné.

— Mais c'est... merveilleux ! s'exclama-t-elle en la dévisageant d'un air intrigué. N'est-ce pas ?

— Cela pourrait l'être, reconnut Alice de mauvaise grâce. Mais même si je suis sûre de l'aimer, cela risque de ne pas nous mener bien loin… Il n'est pas… le genre d'homme à s'engager.

— Mais pourquoi donc ! s'impatienta Meg. Tu viens de dire toi-même que vous vous…

— J'ai dit que je l'aimais, rectifia Alice. Lui ne m'a jamais dit que la réciproque était vraie.

A ces mots, le visage de Meg se durcit.

— Alors, décréta-t-elle, ce n'est qu'un idiot !

Avisant le regard noir que lui lançait sa fille adoptive, elle ajouta avec véhémence :

— C'est mon opinion ! S'il n'est pas capable de percevoir ta valeur, alors il ne te mérite pas.

— Arrête, protesta Alice. Tu sais bien que je n'aime pas que tu parles ainsi de moi.

— Je sais.

Meg la rejoignit et vint se camper fermement devant elle, sans lui laisser d'autre choix que de la regarder dans les yeux.

— Mais je voudrais que tu penses un peu plus à toi, Alice. Et que tu te protèges. Promets-moi que tu le feras.

Alors qu'elle ouvrait la bouche pour la rassurer, Royce annonça son arrivée d'une voix de stentor depuis le hall, provoquant un branle-bas général. Manda et Josh se précipitèrent en hurlant leur joie à sa rencontre. Avec une imitation de cri de guerre sioux, il pénétra dans la cuisine portant sa fille sous un bras et son fils sur une épaule, tous deux également hilares.

Après les avoir reposés sur le sol, Royce rejoignit sa femme et la prit dans ses bras pour un baiser passionné. A les voir, on aurait pu croire qu'ils étaient seuls au monde et Alice sentit s'abattre sur elle une poignante nostalgie.

De tout son être, de tout son corps, elle voulait connaître ce bonheur simple et tranquille qui était le leur. C'est tout ce qu'elle désirait. Et il lui fallait bien se faire une raison, Hayes était sans conteste le seul homme avec qui elle rêvait de vivre cette passion.

11.

Le reste de leur visite se déroula comme dans un rêve. Puis il fallut bien admettre qu'il était l'heure de rentrer. Avant de se résoudre à laisser partir Alice, Meg la serra une dernière fois contre elle et lui murmura à l'oreille :

— Pense à ce que je t'ai dit. D'accord ?

La gorge serrée, Alice hocha la tête.

Le trajet du retour se révéla encore plus tranquille et silencieux que l'aller. Refusant toute tentative de communication, la jeune fille regardait obstinément par sa fenêtre, l'air encore plus malheureux que d'habitude.

Pourtant, songea Alice en fronçant les sourcils, elle avait paru se détendre durant leur visite chez Meg, au point de rire, de s'amuser et de participer à la bonne humeur ambiante. Refusant de se laisser abattre, elle tendit la main et la posa brièvement sur son bras.

— Envie de discuter ? demanda-t-elle doucement.

Au contact de sa main, Sheri sursauta.

— Pour quoi faire ? marmonna-t-elle.

— Parce que tu n'as pas l'air d'aller très fort et que ça pourrait te faire du bien d'en parler.

Pendant un long moment, Sheri garda le silence, le regard braqué devant elle. Enfin, elle poussa un long soupir et lâcha d'une traite :

— Ce n'est rien. C'est juste que ça fait mal. Voilà…

— Qu'est-ce qui fait mal ?

— De les voir aussi heureux. Meg, Royce, leurs enfants.

Sa voix se brisa dans un sanglot étouffé. Elle dut s'éclaircir la gorge avant d'ajouter :

— Ils s'aiment vraiment.

Alice serra les doigts sur le volant et sentit ses yeux s'embuer. Elle n'avait pas besoin d'en entendre plus pour comprendre exactement ce que Sheri éprouvait.

— Oui, répondit-elle simplement. C'est vrai.

— C'est juste ce que…, reprit-elle. C'est exactement ce dont…

Alice se garda bien d'intervenir. Elle vit Sheri se battre pour regagner le contrôle de ses émotions et perdre la partie.

— C'est exactement ce dont j'ai toujours rêvé, conclut-elle d'une voix bouleversée. C'est la famille dans laquelle j'aurais voulu vivre.

Un coup de Klaxon retentit derrière elles. Alice sursauta et passa machinalement la première. Absorbée par leur conversation, elle avait stoppé sans même y réfléchir à un feu qui venait de repasser au vert.

— Je sais ce que tu ressens, avoua-t-elle au bout d'un instant. Moi aussi j'ai rêvé d'une telle vie de famille.

La main posée sur son ventre, Sheri le caressait d'un air rêveur.

— Comment se fait-il…, commença-t-elle d'un ton hésitant. Comment se fait-il que certains aient tout ce qui manque si cruellement à d'autres ?

— Cela paraît vraiment injuste, pas vrai ?

Sheri hocha la tête et se tourna vers Alice.

— Un peu d'amour et de considération... C'est tout ce dont j'avais besoin. Est-ce vraiment trop demander ? Suis-je égoïste de penser que j'aurais dû avoir ma part de ce bonheur, moi aussi ?

Replongée par ces paroles dans sa propre enfance privée d'affection, dans son propre bagage de souvenirs pénibles, Alice secoua négativement la tête.

— Absolument pas, reconnut-elle, la gorge serrée. Tout enfant devrait disposer à la naissance de cet amour sans lequel il ne peut s'épanouir. Mais quelquefois... les choses se passent mal, et il faut lutter pour réparer les torts, redresser la situation.

Sheri haussa les épaules d'un air buté.

— Ce qui est injuste, c'est que tout le monde n'est pas logé à la même enseigne. Je parie que Meg et Royce, eux, n'ont pas eu à lutter pour conquérir leur bonheur.

Un rire sans joie fusa des lèvres d'Alice.

— Là tu te trompes. Ni l'un ni l'autre n'ont eu une enfance très heureuse. En fait, la mère de Meg l'a abandonnée alors qu'elle n'avait que cinq ans. Elle a eu la chance d'être adoptée par une merveilleuse famille, aimante et unie.

— Un peu comme vous quand Meg vous a adoptée.

— Oui.

Alice manœuvra pour tourner à un carrefour, roulant à petite vitesse dans une rue emplie d'enfants absorbés par leurs jeux.

— Leur mariage lui-même a eu ses hauts et ses bas, reprit-elle. En fait, ils étaient à deux doigts de divorcer. L'adoption d'Amanda leur a permis de repartir d'un bon pied.

Sheri sursauta et se tourna vers elle, les yeux ronds.

— Amanda a été adoptée ?

Amusée par sa surprise, Alice sourit et hocha la tête sans quitter la route des yeux.

— Josh aussi, précisa-t-elle. Tu pensais que les enfants adoptés se reconnaissaient des autres à un signe distinctif, un petit air malheureux qui leur aurait collé à la peau, peut-être ?

— Non. C'est juste que… Meg et Royce semblent tellement les aimer qu'on pourrait croire que ce sont vraiment leurs enfants.

— Mais *ce sont* vraiment leurs enfants, dit gentiment Alice. Ce qui différencie un enfant adopté d'un autre n'a rien à voir avec la quantité d'amour qu'on peut lui donner.

Les sourcils froncés, Sheri parut méditer quelques instants ces paroles sans cesser de caresser son abdomen.

— Comment se fait-il qu'ils aient dû adopter ? demanda-t-elle enfin.

— Meg a toujours voulu des enfants. Hélas, elle a su dès les premiers mois de son mariage qu'elle ne pourrait jamais en avoir.

— Elle est stérile ? Oh ! Ça c'est un coup dur…

— Ça l'a été d'autant plus que cela a failli briser leur mariage. Jusqu'à l'arrivée d'Amanda dans leur vie. Alors, plus rien d'autre n'a compté pour eux.

Sheri hocha la tête d'un air pensif, puis, appuyant la nuque contre le repose-tête, ferma les yeux comme pour réfléchir à ce qu'elle venait d'apprendre. Elle demeura ainsi jusqu'au moment où Alice gara son véhicule au bord du trottoir, devant chez elle. Sans échanger un mot, elles sortirent toutes deux et gagnèrent le porche. Alors qu'Alice engageait la clé dans la serrure, la main de Sheri se referma sur son avant-bras comme une serre.

— Il faut m'aider, Miss A. ! s'écria-t-elle dans un sanglot. Je ne sais vraiment pas quoi faire.

Alice recouvrit sa main de la sienne et lui sourit.

— Tu sais que je le ferai si je le peux. Dis-moi ce qui ne va pas.

Sheri inspira profondément avant de se décider à enfin se confier.

— J'ai bien peur que tout aille de travers, Miss A. Je crois bien… qu'il est déjà trop tard.

Alarmée, Alice fronça les sourcils.

— Que veux-tu dire ? Tu parles de ta grossesse ?

Des larmes plein les yeux, Sheri secoua la tête.

— Je parle de moi et de Jeff. De nos plans.

Les larmes jaillirent d'un coup de ses paupières.

— Je ne crois pas que Jeff soit heureux d'avoir décidé de m'épouser. Il dit qu'il l'est… il essaie de se comporter comme s'il l'était, mais…

Incapable de poursuivre, Sheri baissa les yeux.

— Mais quoi ? insista Alice, saisie par un sombre pressentiment.

— Il se conduit de manière bizarre, répondit-elle de mauvaise grâce. Il est tout le temps sombre, préoccupé. Il a commencé à manquer l'école. Et cette dispute avec son père qui n'en finit pas…

D'un geste rageur, Sheri essuya ses larmes du plat de la main et conclut :

— Parfois je crois deviner au fond de ses yeux… comme s'il était…

La jeune fille ne put en dire plus mais Alice n'eut aucun mal à compléter pour elle. *Acculé. Pris au piège.* Tout comme son père avait craint de l'être en l'épousant douze années auparavant.

Alice tendit une main apaisante pour caresser les cheveux de Sheri.

— C'est cela qui te tracassait ces jours-ci, n'est-ce pas ?

Sheri hocha la tête.

— Tout ce que je veux, lâcha la jeune fille dans un souffle, c'est que nous soyons heureux, avec notre bébé. Comme Meg et Royce le sont avec leurs enfants…

Voyant ses larmes redoubler, Alice l'attira entre ses bras, lui caressant les cheveux et lui murmurant à l'oreille des mots de réconfort.

— Tu as besoin de lui parler, Sheri. Tu ne dois pas craindre qu'il ne t'aime plus ou qu'il ne veuille plus de votre bébé. Mais comment ne pas comprendre qu'il soit un peu effrayé ?

Sheri renifla bruyamment et releva les yeux, pleine d'espoir.

— Vous le pensez vraiment ?

— Je pense que parler ne coûte rien et ne peut que vous faire du bien à tous les deux.

Repoussant doucement la jeune fille, Alice étudia un instant son visage et insista :

— Tu ne crois pas ?

Un sourire empreint de soulagement fleurit sur ses lèvres.

— Je crois que je vais l'appeler tout de suite. Ça vous va ?

Alice hocha la tête et déverrouilla la porte. Avec un sourire attendri, elle regarda sa protégée courir jusqu'au téléphone, plus heureuse qu'elle ne l'avait été depuis des jours. Malgré les difficultés qui semblaient s'amonceler entre eux, elle avait l'intuition que les choses finiraient par s'arranger entre Jeff et Sheri, qu'ils étaient faits l'un pour l'autre.

220

Songeant soudain qu'il n'en allait pas de même entre elle et Hayes, sa gorge se serra et son sourire disparut de ses lèvres. D'un coup, tous les doutes que suscitait en elle l'étrange relation qu'ils avaient renouée, avivés par la mise en garde de Meg, affluèrent à son esprit. *S'il n'est pas capable de percevoir ta valeur, alors il ne te mérite pas*.

Hélas, elle était loin de voir les choses de manière aussi simple. Et la plus grande illusion dont elle devait se défaire, c'était qu'elle pouvait avoir en elle suffisamment d'amour et d'énergie pour deux...

Posté devant la grande baie vitrée de son bureau, Hayes regardait le soir tomber sur La Nouvelle-Orléans. Vingt étages plus bas, un flot de voitures encombrait l'avenue. En comparaison, la pièce où il se trouvait paraissait d'une quiétude monacale.

Une pluie fine était tombée toute la journée, faisant peser un ciel de plomb sur la ville qui accélérait le crépuscule et assombrissait son humeur. Il n'avait pas parlé à Alice depuis deux jours, quoiqu'au cours de cette période il ait de nombreuses fois tendu le bras vers le téléphone avant de se raviser.

Les sourcils froncés, Hayes poussa un grognement sans même s'en rendre compte. Que se passait-il avec elle ? Ou plus exactement, que se passait-il entre eux ? Après tout, ce black-out était mutuel et s'il n'avait pas appelé, elle s'en était bien gardée elle aussi... Ce qu'il redoutait le plus, c'était les conclusions hâtives qu'il aurait pu en tirer. Tout était-il donc déjà terminé, entre eux, avant même d'avoir véritablement recommencé ?

La gorge serrée, il s'écarta de la fenêtre et se mit à faire les cent pas, les bras croisés derrière le dos. Alice lui avait promis qu'il n'y aurait de sa part ni récriminations ni complications. Et manifestement, elle paraissait déterminée à prendre ses résolutions au pied de la lettre... Dans un premier temps, Hayes s'en était félicité plus ou moins consciemment. Mais à l'usage, il lui fallait bien reconnaître qu'il n'aimait pas cette nouvelle règle du jeu. Tout comme il détestait ce mur que, de jour en jour, il sentait se dresser entre eux.

La femme qu'il avait retrouvée n'était plus celle qu'il avait aimée. On aurait dit qu'en sa présence elle prenait soin de réfréner ses émotions, sans doute pour ne pas l'indisposer. Mais au lieu de lui en être reconnaissant, il se sentait dépossédé, comme si elle se cachait de lui, comme si elle lui refusait l'accès à une part d'elle-même qui la définissait autant que la couleur de ses yeux ou de ses cheveux...

En fait, son dilemme se résumait à peu de choses. Ce qu'il voulait, c'était Alice telle qu'il l'avait connue douze ans auparavant. Celle qu'il avait aimée et qui lui avait tant manqué. Celle qui lui manquait toujours...

En fait il s'écœurait lui-même. C'était peu de dire qu'il ne savait pas ce qu'il voulait. Comment s'étonner qu'Alice ne le sache pas non plus ? D'un côté, il voulait la garder à distance raisonnable pour ne pas se laisser entraîner dans son monde, mais de l'autre, il mourait d'envie qu'elle se rapproche de lui pour bénéficier de sa chaleur et de son aura de vie et de générosité...

Pire qu'indécis, se dit-il avec amertume, il était un véritable salaud de la traiter ainsi. D'elle, il voulait tout ce qu'elle avait à offrir, et plus encore, alors même qu'il n'avait rien à donner en retour.

Fatigué de ses propres pensées, Hayes pressa la paume de ses mains sur ses paupières closes. Alice lui manquait tant qu'il lui était quasiment impossible de se concentrer sur son travail. Pour ne rien arranger, le sommeil le fuyait. Il passait ses journées à aboyer contre tout le monde et à se rendre aussi inaccessible que possible.

Après avoir cogné contre sa porte, sa secrétaire l'ouvrit et passa la tête dans l'entrebâillement.

— Je m'apprête à rentrer chez moi, Hayes. Avez-vous besoin de quelque chose avant que je m'en aille ?

Sans se retourner, Hayes lui lança un regard las par-dessus son épaule.

— Non, Susan. Vous pouvez y aller. A demain…

— Non, pas demain…, corrigea-t-elle d'une voix indulgente. Demain c'est samedi, et je vous rappelle que vous devez assister au match de base-ball de votre fils. Si je peux me permettre un conseil, profitez-en bien et prenez du bon temps. Parce que je me vois mal devoir passer une autre semaine en compagnie d'un grizzly mal embouché…

Amusé malgré lui, Hayes lui rendit son sourire. Il avait toujours apprécié la franchise bourrue de Susan, qui l'aidait à garder les pieds sur terre.

— Je verrai ce que je peux faire, promit-il. A présent allez-y, ou vous allez rater votre train.

Le cœur soudain plus léger, Hayes revint se planter devant la grande vitre zébrée de pluie. Avant que Susan ne le lui rappelle, il avait complètement oublié le match de Jeff. Le fait qu'Alice et lui avaient fait des plans pour y assister en compagnie de Sheri lui était complètement sorti de l'esprit. Le lendemain, il verrait Alice, et cela suffisait à faire de lui un autre homme. Un homme rempli d'espoir, de bonheur et de joie. Un homme, en somme, qui ne savait que prendre égoïstement le bonheur qu'on avait à lui offrir, sans se soucier d'en apporter en retour.

Pestant entre ses dents, Hayes regagna son bureau et s'y assit. Du premier tiroir qu'il ouvrit d'un coup sec, il tira une photographie encadrée ensevelie sous une tonne de vieux papiers. Après avoir pris une longue inspiration pour se donner du courage, il baissa les yeux pour la contempler.

La photo les montrait, lui et Isabel, peu de temps après leur mariage. C'était l'un des rares clichés où on les voyait sourire tous les deux autrement que de manière gauche et empruntée. Ces sourires étaient de véritables sourires, des sourires de bonheur, de joie et de complicité. Isabel paraissait vivante, heureuse, enjouée. Lui ressemblait à un homme insouciant et sûr de lui, un homme qui croyait encore aux histoires qui se terminent bien, un homme qui nourrissait l'illusion que l'amour vient à bout de tout et dure toujours.

Les yeux embués, Hayes s'obligea à ne pas détourner le regard. S'il gardait sous la main ce portrait, ce n'était pas parce qu'il aimait toujours Isabel, qu'elle lui manquait ou que son souvenir le hantait sans relâche. Il ne le gardait que pour ne pas oublier ce qu'il était réellement. Il ne le gardait que pour se rappeler son incapacité à entretenir une relation amoureuse, à rendre heureuse la femme qui se risquait à partager sa vie.

Dans ces conditions, conclut-il en se maudissant de nouveau lui-même, pourquoi s'était-il cru autorisé à renouer avec Alice ? Comment avait-il pu laisser les choses devenir si compliquées entre eux qu'il faudrait un miracle pour que ni l'un ni l'autre n'aient à en souffrir ? Comment avait-il pu se montrer si inconséquent, si égoïste ?

Sa décision prise, Hayes jeta un dernier regard sans tendresse à la vieille photo encadrée et la renferma dans son tiroir. Plus il laisserait cette mascarade durer entre lui et Alice, plus elle souffrirait lorsqu'ils devraient inévitablement se quitter. Plus il tarderait à y mettre un terme, plus elle lui manquerait lorsqu'il l'aurait une nouvelle fois abandonnée...

Sur son bureau, le téléphone se mit à sonner, le tirant brutalement de ses pensées.

— Hayes Bradford, bougonna-t-il distraitement après avoir décroché.

— Monsieur Bradford ! s'exclama une voix de femme dans le combiné. Je suis heureuse d'avoir pu vous joindre au bureau. Nancy Walker à l'appareil, principale du lycée de Mandeville High...

— Je reconnais votre voix, madame Walker. Que puis-je pour vous ?

Sa correspondante hésita une fraction de seconde, et Hayes comprit qu'il n'allait pas aimer ce qui allait suivre.

— Je vous appelle à propos de Jeff, bien sûr... Et je dois vous dire que je n'aurais jamais imaginé avoir un jour ce genre d'appel à vous passer à propos de votre fils, qui a toujours été un élève modèle.

Les doigts de Hayes se crispèrent sur le plateau du bureau.

— Ce qui veut dire qu'il ne l'est plus ?

— Je ne vais pas tourner autour du pot, monsieur Bradford. Il arrive de plus en plus fréquemment à Jeff de manquer les cours. Et lorsqu'il est présent, il ne semble faire preuve ni de la préparation, ni de l'attention nécessaires. J'ai déjà laissé sur votre répondeur personnel plusieurs messages à ce sujet, mais je commence à craindre... que vous n'ayez pu en prendre connaissance.

La soudaine colère suscitée en lui par la duplicité de son fils rendit Hayes muet de stupeur. Il lui fallut se ressaisir pour pouvoir répondre sèchement :

— En effet. Je n'étais pas au courant.

Un silence interminable lui répondit, qu'il rompit en s'excusant d'une voix radoucie.

— Je vous prie d'excuser ma réaction, madame Walker. Vous comprendrez que ce n'est pas le genre de coup de fil qu'un père aime recevoir...

— Je comprends, monsieur Bradford. L'objet de mon appel était également de vous informer que Jeff a été suspendu de l'équipe de base-ball du lycée. Il n'y sera réintégré que le jour où son comportement redeviendra normal. En conséquence, il ne sera pas autorisé à jouer le match de demain.

Hayes jura silencieusement entre ses dents.

— Est-il au courant de cette mesure ?

— Son entraîneur lui en a fait part ce matin.

Nancy Walker soupira bruyamment et demanda :

— Y a-t-il quelque chose dans la vie de Jeff qui pourrait expliquer son comportement ? Le conseiller d'éducation a tenté de le lui faire dire, comme l'ont fait également son entraîneur et un certain nombre de ses professeurs, mais votre fils refuse obstinément toute tentative de communication. En fait, son attitude frise l'insolence. Ce qui est également tout à fait inattendu de sa part. J'avais espéré que, peut-être, vous pourriez m'aider à y voir plus clair...

Hayes ne sut que répondre à cette sollicitation. Etait-il lui-même en mesure d'expliquer le comportement de son fils alors qu'il avait tant de mal à le comprendre ? S'il l'avait été, il ne se serait pas senti aussi désarmé, trahi et rejeté qu'il l'était à cette minute...

— Peut-être pourrions-nous nous rencontrer pour en discuter ? suggéra-t-il en ouvrant son agenda. J'ai des disponibilités lundi en fin d'après-midi ou mardi en début de matinée.

— Lundi après-midi me convient. A 16 heures ?

— Parfait. A lundi donc. Bonsoir, madame.

— Bonsoir.

Après avoir raccroché, Hayes consulta nerveusement sa montre, se demandant combien de temps il mettrait à cette heure de pointe pour rentrer chez lui. Au moins, songea-t-il amèrement en se préparant à partir, aurait-il tout le temps nécessaire s'il était pris dans les bouchons pour préparer ce qu'il avait à dire à son fils.

Mais contrairement à ses craintes, il put emprunter la voie rapide en direction du nord en un temps record. En se garant dans l'allée il aperçut la Mazda de Jeff garée à son emplacement habituel et lutta pour réfréner la colère qu'il sentait monter en lui. Rien de bon ne sortirait de la confrontation qui l'attendait, songea-t-il, s'il se laissait dominer par la légitime fureur qui l'animait.

Dans le hall d'entrée, il vit que son fils avait déposé ses clés à l'endroit habituel et s'en empara pour les glisser dans sa poche. Le bruit assourdissant de la télévision le guida jusqu'au salon. Affalé sur le sofa, le visage inexpressif et le regard vide, Jeff s'absorbait dans la contemplation d'un clip musical.

D'un pas décidé, Hayes marcha jusqu'à l'appareil qu'il éteignit d'un geste sec et se retourna pour lui faire face.

— La principale du lycée m'a appelé ce soir.

Jeff releva les yeux pour soutenir tranquillement son regard. Hayes se dit qu'il avait l'air un peu pâle.

— Elle m'a tout dit, reprit-il. Y compris que tu ne jouais pas demain.

— Puisque tu sais tout, répondit Jeff et pointant le menton d'un air buté, je n'ai rien à ajouter…

Les poings serrés, Hayes lutta pour se contenir.

— C'est là où tu te trompes. Nous avons besoin de parler tous les deux.

Jeff haussa les épaules.

— Si tu insistes…

Une telle attitude prit Hayes de court. Son fils n'avait jamais été une forte tête. Jamais il ne lui avait posé de problèmes de discipline. Que cela lui vienne à l'âge de dix-huit ans alors qu'il était censé devenir adulte était à ses yeux aussi dérangeant que pénible.

Pour tenter de retrouver son calme, Hayes compta jusqu'à dix, puis jusqu'à vingt.

— Réalises-tu vraiment, lança-t-il enfin, à quel point ton comportement actuel peut gâcher le reste de ta vie ? Continue ainsi, et ce sont toutes tes études qui peuvent être remises en cause. Est-ce vraiment ce que tu veux ?

Jeff haussa les épaules.

— Quelle importance, puisque je ne vais plus à Georgetown ?

Hayes émit un claquement de langue agacé et fit un pas vers lui.

— Bon sang, Jeff ! s'exclama-t-il. Tu es donc décidé à bousiller délibérément ton existence ?

— Je croyais que c'était déjà fait…, dit-il avec un étonnement feint. Je te rappelle que selon toi, proposer à Sheri de l'épouser était déjà une erreur fatale. On peut donc foutre sa vie en l'air deux fois de suite ?

Le peu de sang-froid qui restait à Hayes s'envola d'un coup.

— Tu es puni, grogna-t-il. Jusqu'à nouvel ordre, tu vas au lycée, tu reviens à la maison, un point c'est tout.

Jeff se dressa d'un bond sur ses jambes, les poings serrés, la mâchoire contractée et les yeux étincelant de fureur.

— Tu ne peux pas me punir ! hurla-t-il à la barbe de son père. J'ai dix-huit ans et je fais ce que je veux !

— C'est ce que tu t'imagines...

De sa poche, Hayes sortit le trousseau de clés de Jeff et l'agita devant lui.

— Tu les récupéreras le jour où tu m'auras prouvé que tu les mérites. D'ici là, je te conduirai moi-même au lycée tous les matins et m'arrangerai pour qu'on vienne t'y récupérer tous les soirs.

— C'est tout ce que tu as trouvé pour m'empêcher de voir Sheri ?

Une flambée de colère fit voler en éclats toutes les bonnes résolutions de Hayes.

— Sheri n'a rien à voir là-dedans ! hurla-t-il à son tour. C'est ton comportement qui est en cause. Tu m'as menti ! Tu as manœuvré pour me cacher la vérité ! Ne serait-ce que par principe, tu n'aurais jamais dû...

— Moi je vis en accord avec mes principes ! coupa Jeff d'une voix cinglante. Peux-tu en dire autant ?

Aveuglé par la fureur, Hayes fit un nouveau pas vers son fils, puis un autre encore, jusqu'à ce qu'ils soient tous les deux nez à nez. Dans ses yeux, il lut une fureur comparable à la sienne. Dans ses yeux, il vit un reflet de son propre désespoir.

Sonné de découvrir son fils aussi semblable à lui, aussi perdu et désespéré, Hayes sentit sa colère refluer. Reculant d'un pas, il eut un sourire triste et tendit une main vers lui.

— Que veux-tu de moi, Jeff ? Que veux-tu que je fasse ? Que veux-tu que je dise ?

L'espace d'un bref instant, le masque d'inflexibilité de son fils se fissura et Hayes eut un aperçu de la souffrance

229

qui l'habitait. Par un effort manifeste de volonté, Jeff se reprit aussitôt et redressa les épaules.

— Je n'attends rien de toi ! cracha-t-il en pointant fièrement le menton. Rien du tout...

Hayes le dévisagea longuement, cherchant sur ses traits un écho de la peine qu'il y avait vu passer précédemment, cherchant derrière ce regard implacable celui du petit garçon heureux de vivre et fier de son père qu'il avait été.

— Que s'est-il passé pour que nous en arrivions là ? murmura-t-il d'une voix peinée. Qu'est-il arrivé pour que tu me détestes tant ?

— Qu'est-ce que ça peut te faire ! rétorqua son fils d'une voix pleine d'amertume. Tu ne m'as jamais porté le moindre intérêt...

Frappé de plein fouet par la violence de l'attaque, Hayes recula d'un nouveau pas. Jeff ne l'aurait pas atteint plus durement s'il lui avait foncé dessus les poings en avant.

— C'est faux ! protesta-t-il sourdement. Tu as toujours beaucoup compté pour moi. Tu es mon fils...

— Et c'est supposé vouloir dire quelque chose ?

— Mais... ça veut tout dire !

Sans cesser de le dévisager comme s'il avait sous les yeux un étranger, Hayes murmura :

— Qui cherches-tu à punir ainsi. Toi ou moi ?

Refusant la confrontation, Jeff fit demi-tour. Pour l'empêcher de s'enfuir, Hayes le retint par le bras.

— Parle-moi, Jeff. Je suis ton père. Je peux t'aider. Dis-moi ce qui ne va pas.

D'un geste nerveux, il libéra son bras.

— Te parler pour que tu puisses utiliser contre moi ce que j'aurais commis l'erreur de te confier ? Non merci, papa... A mon avis, il y a belle lurette que nous n'avons plus rien à nous dire.

230

Blessé au plus profond de lui-même, Hayes se raidit et refusa de s'avouer vaincu.

— Tout ce que je veux, c'est que tu sois heureux. Ton bonheur a *toujours* été le but principal pour moi. Si tu es sûr de ce que tu fais, alors je serai à tes côtés. Je te soutiendrai quelle que soit ta décision.

D'un air soupçonneux, Jeff plissa les paupières.

— Qu'est-ce que tu as encore derrière la tête ?

— Je paierai tes études à Georgetown. Je vous aiderai à vous installer, financièrement et de toutes les manières possibles, toi et Sheri.

Pendant dix bonnes secondes, Jeff le dévisagea sans rien dire, manifestement pris de court.

— Je ne te suis pas…, lâcha-t-il enfin. Que cherches-tu à faire ? Tu veux que je te sois redevable ? Tu veux m'obliger à t'être reconnaissant ?

Une souffrance à peine soutenable transperça Hayes de part en part.

— Tu ne me crois pas ? gémit-il. Cela va donc si mal entre nous ? Tu ne peux même pas croire que je veuille faire cela seulement pour ton bonheur ?

Jeff parut hésiter une seconde encore, puis secoua la tête avec détermination.

— Tu m'as appris qu'un homme doit assumer ses actes, qu'il doit être fort pour sa famille. Je ne veux pas de ton argent. Je n'en ai même pas besoin. Et je ne veux surtout pas te devoir quoi que ce soit. Sheri et moi sommes bien assez grands pour nous débrouiller seuls.

Trop anéanti pour tenter de le retenir encore, Hayes regarda son fils sortir de la pièce, certain qu'à cette minute il le perdait pour toujours.

*
**

Pour la troisième fois depuis qu'elle s'était mise au lit une demi-heure auparavant, Alice jeta à la dérobée un coup d'œil au téléphone posé sur sa table de nuit. Toute la journée, elle avait espéré que Hayes finirait par appeler. Il ne lui était pas sorti de l'esprit de tout l'après-midi. Il avait fini par l'obséder toute la soirée. Et à plus de minuit, il continuait à monopoliser ses pensées.

Avec un soupir résigné, elle reposa le roman auquel elle ne parvenait pas à s'intéresser et se redressa contre ses oreillers. Pour expliquer son silence, elle tentait de se persuader que Hayes avait été aussi occupé qu'elle. Après tout, ils n'avaient rien de prévu ensemble et il n'y avait aucune raison précise pour qu'il l'appelle.

Et pourtant, conclut-elle malgré elle, il aurait dû le faire... N'étaient-ils pas amants ? Ne partageaient-ils pas ce qu'ils possédaient l'un et l'autre de plus intime ? Tourmentée par une migraine tenace, Alice ferma les paupières et se massa les tempes. En vérité, ce long silence de Hayes avait été assourdissant pour elle... Elle n'avait pu s'empêcher de l'interpréter d'une douzaine de façons différentes — toutes négatives.

Avec un soupir, elle croisa les mains derrière la tête et s'abîma dans la contemplation du plafond. Quant à elle, elle s'était emparée ces derniers temps du téléphone une bonne douzaine de fois, dans l'idée de l'appeler, de briser par quelques mots ce silence, de prendre de ses nouvelles, voire de réclamer des explications. Chaque fois elle avait renoncé *in extremis*, sa fierté se révélant plus forte que son désir de lui parler.

Inutile de se cacher la vérité plus longtemps, conclut-elle tristement. Cet éloignement que ni l'un ni l'autre ne parvenaient à briser ne pouvait que signifier le début de la fin pour eux...

Cette brutale vérité la cueillit de plein fouet, lui coupant le souffle, réduisant à néant ses derniers espoirs. Bien sûr, elle avait toujours su qu'entre elle et Hayes cela ne pourrait pas durer. Elle n'avait pu pourtant s'empêcher de croire en quelque chose qui n'était pas, qui ne pouvait pas être...

Voyant la porte s'ouvrir à la volée, Alice sursauta et poussa un petit cri. Les deux mains crispées sur son ventre, blême et les yeux cernés, Sheri fit irruption dans sa chambre.

— Miss A. ! gémit-elle d'une voix paniquée. Cela ne va pas du tout. Quelque chose d'affreux est en train de se passer...

Une tache sombre s'étalait sur le devant de sa chemise de nuit. Le premier effet de surprise passé, Alice repoussa ses couvertures et se leva d'un bond pour aller soutenir la jeune fille.

— Je me suis réveillée en sursaut, expliqua celle-ci, haletante. J'avais mal et j'étais... toute mouillée.

Sans perdre de temps en explications inutiles, Alice la prit par le bras et l'entraîna vers une chaise.

— Viens..., ordonna-t-elle. Je veux que tu restes assise pendant que j'appelle le Dr Bennett.

Refusant de la laisser s'éloigner, Sheri s'empara de son bras, s'y accrochant désespérément.

— Il faut m'aider, Miss A. ! S'il vous plaît... Je ne veux pas que mon bébé meure !

— Calme-toi..., murmura-t-elle, luttant elle-même pour ne pas s'affoler. J'appelle le Dr Bennett et nous nous rendrons ensuite aux urgences.

— Je saigne, se lamenta Sheri en contemplant avec horreur la tache sombre qui sur son ventre s'élargissait. Je n'arrête pas de saigner.

La gorge serrée, Alice ne put lui répondre. Ce qui arrivait à la jeune fille était bien trop semblable à ce qui lui était arrivé douze ans auparavant. Prenant sur elle, elle parvint à décrocher doucement les doigts de Sheri de son bras et lui dit sur un ton rassurant :

— Surtout ne bouge pas ! Je me dépêche. Je n'en ai pas pour longtemps.

— Ne me laissez pas toute seule ! s'écria Sheri en se raccrochant à ses mains. J'ai peur…

Alice serra ses doigts et les trouva glacés.

— Je sais, mais il me faut absolument appeler le Dr Bennett avant de partir. Tout va bien se passer. Tiens bon…

— Je veux Jeff, murmura-t-elle. S'il vous plaît, prévenez-le aussi.

Alice hocha la tête.

— Je l'appelle aussitôt après.

Apaisée par cette promesse, Sheri se calma et croisa sagement ses mains sur ses genoux. Alice se précipita dans la salle de bains pour y prendre du linge propre et des serviettes absorbantes. Depuis le salon, elle entendit la jeune fille pousser de petits gémissement plaintifs, de peur bien plus que de souffrance. De nouveau, la panique la submergea. Si seulement elle n'avait pas si bien compris ce que Sheri pouvait ressentir. Si seulement elle avait pu ne pas craindre qu'il soit déjà trop tard…

Secouant la tête, Alice s'efforça de se reprendre. Qu'elle ait elle-même perdu son bébé dans les mêmes conditions ne signifiait pas que Sheri était condamnée à perdre le sien aussi. Sheri était jeune, en pleine santé. En douze ans, la médecine avait fait d'énormes progrès qui permettraient peut-être — qui permettraient sans doute — de sauver l'enfant et la mère.

S'accrochant à cet espoir, Alice composa le numéro d'urgence de l'obstétricienne. Comme elle s'y était attendue, le Dr Bennett lui conseilla de conduire Sheri sans attendre aux urgences de l'hôpital Sainte-Marie. Après avoir raccroché, elle composa dans la foulée le numéro de Hayes et retint son souffle en écoutant la sonnerie. Il décrocha presque immédiatement, mais elle comprit au ton de sa voix qu'elle l'avait réveillé.

Durant un instant, il lui fut impossible d'articuler le moindre mot tant la submergeait le flot de ses souvenirs. Elle eut l'impression d'avoir de nouveau dix-neuf ans, de se retrouver aussi affolée et désemparée que quand elle avait découvert que cette petite vie qu'elle avait abritée en elle était en train de la quitter, de se perdre. Elle voulait tant mettre ce bébé au monde. Elle s'était tellement accrochée à l'espoir de pouvoir un jour serrer sa fille dans ses bras, contre son sein...

— Allô ? répéta Hayes dans l'écouteur. Qui est à l'appareil ?

Alice s'éclaircit la gorge avec difficulté.

— Hayes... C'est moi. Je serai brève, le temps presse. Sheri et moi nous apprêtons à rejoindre les urgences de l'hôpital Sainte-Marie. Je pense qu'elle est peut-être en train de... cela paraît sérieux. Elle a réclamé Jeff.

Seul le silence lui répondit. Pendant un bref instant, elle se demanda si Hayes l'avait comprise.

— Hayes ? Est-ce que tu...

— Nous vous rejoignons là-bas ! lança-t-il avant de raccrocher brutalement.

Alice contempla le combiné sans oser le reposer sur son support, accablée par la surprise et la tristesse. Ils ne s'étaient pas parlé depuis deux jours, et dans ces circonstances dramatiques Hayes ne lui avait pas adressé le moindre mot de soutien, d'encouragement.

Mais le moment était mal choisi pour se pencher sur ses propres misères. Dans sa chambre, elle retrouva Sheri exactement comme elle l'avait laissée.

— Jeff est prévenu, expliqua-t-elle brièvement. Ainsi que le Dr Bennett. Ils nous rejoignent aux urgences.

Lui tendant le linge propre, elle ajouta avec un triste sourire :

— Mais avant, tu vas te changer. Je vais t'aider.

Cinq minutes plus tard, Alice roulait bien plus vite qu'elle ne l'avait jamais fait sur les petites routes venteuses et plongées dans le noir en direction de la voie rapide. Lorsqu'elle atteignit l'autoroute, elle écrasa le champignon, pied au plancher, refusant de se laisser impressionner par la vitesse affolante à laquelle elle roulait.

Du coin de l'œil, elle surveillait de temps à autre Sheri. Blottie sur son siège dans sa robe de chambre, la jeune fille avait l'air si jeune, si pâle et si fragile qu'elle en avait mal pour elle.

— Encore quelques minutes, dit-elle d'une voix aussi rassurante que possible, et nous y serons.

A ces mots, Sheri se mit à pleurer, les larmes dévalant de ses joues et tombant sur le tissu-éponge du peignoir comme des perles de douleur.

— Je ne veux pas perdre mon bébé…, gémit-elle d'une voix à peine audible. Mais c'est pourtant ce qui est en train de se produire. N'est-ce pas, Miss A. ?

Alice avala la boule d'angoisse qui lui obstruait la gorge.

— Nous n'en savons rien, Sheri. Tant que le docteur ne t'a pas examinée, il est inutile de te tourmenter ainsi.

— Je voudrais tant qu'elle vive, reprit Sheri sans quitter des yeux la route qui défilait à toute allure devant elle. Je voudrais qu'à Pâques elle fasse la chasse aux œufs, et je voudrais la consoler lors de son premier jour d'école. Elle porterait une petite robe rose pour ce grand jour, avec des tas de rubans et de mousseline...

Les larmes aux yeux, Alice serrait si fort le volant que les jointures de ses doigts en étaient blanches. Un jour, il y avait longtemps de cela, elle avait nourri des rêveries identiques, elle aussi... Elle avait rêvé d'une jolie petite fille à cajoler. Elle avait espéré l'aider à faire ses premiers pas sur les chemins de la vie. De tout son cœur elle avait voulu cette belle enfant qui l'aurait aimée comme elle l'aimait...

— Je n'ai jamais eu de robe comme celle-là, poursuivit Sheri en essuyant machinalement ses larmes. Mais je me rappelle en avoir vu une dans une vitrine un jour, quand j'étais petite. Et je me rappelle l'avoir très longtemps admirée et m'être dit que plus tard, quand je serais grande et que j'aurais une petite fille...

Un sanglot étranglé l'empêcha d'en dire plus. Alice tendit le bras et serra ses mains crispées autour d'un mouchoir sur ses genoux.

— Accroche-toi à cette robe, Sheri. Nourris-toi de cette idée. C'est une très grande, très belle et très noble idée...

Les doigts de Sheri se refermèrent autour de ceux d'Alice. Elle les trouva mortellement glacés et s'obligea à ignorer l'angoisse qui la saisissait.

— Je voulais..., reprit-elle d'une voix rêveuse. *Je veux* une belle vie pour elle. Je veux son bonheur. C'est tout ce que je veux.

— Je sais, ma douce…, approuva Alice tendrement. Je suis sûre que tu seras une bonne mère. Une mère fantastique. J'en suis certaine…

En silence, Sheri secoua longuement la tête et ferma les paupières.

— J'ai décidé…, commença-t-elle d'une voix sourde, sans rouvrir les yeux. J'ai décidé de la faire adopter.

Abasourdie, Alice ne put s'empêcher de quitter la route des yeux pour la dévisager longuement. Une expression d'une grande détermination et d'une parfaite sérénité était apparue sur le visage de la jeune fille.

Revenant bien vite aux exigences de la conduite, Alice s'étonna :

— Quand as-tu…

— Après notre visite chez Meg, l'interrompit Sheri. Quand j'ai vu à quel point ils étaient heureux, elle, son mari et leurs enfants.

Elle rouvrit les yeux et secoua la tête. Alice comprit que c'était bien plus pour empêcher de nouvelles larmes de couler que pour déplorer le choix qu'elle avait fait.

— Jeff n'est pas prêt à être père, reprit-elle. Je suis persuadée qu'il m'aime et qu'il veut faire ce qui est bon pour moi, mais je sais maintenant que nous marier n'est pas la solution. Du moins en ce qui le concerne. Depuis que tout ceci a commencé, il n'a plus réellement été heureux avec moi…

Les yeux de Sheri s'agrandirent. Elle serra les poings et étouffa un petit cri de douleur.

— Et moi…, poursuivit-elle. Moi je ne demanderais pas mieux que de garder ce bébé, mais… Qu'est-ce que j'aurais à lui offrir ?

— Tout ton amour, coupa Alice. Et c'est bien ce qui compte le plus pour un enfant.

Durant un long silence songeur, Sheri parut méditer ses paroles, avant de tourner vers Alice ses yeux encore mouillés de larmes.

— C'est bien pour cela que j'ai décidé de la confier à une autre mère, conclut-elle d'une voix tremblante. Parce que je l'aime tellement… Je veux qu'elle ait des parents tels que Meg et Royce. Des parents qui penseront toujours qu'elle est la meilleure chose qui leur ait jamais été donnée. Des parents qui n'auront jamais… aucun regret. Et je veux qu'elle ait un jour cette robe ro…

Les doigts crispés dans le tissu de sa robe de chambre, elle retint son souffle et poussa un petit gémissement étouffé.

— Miss A. ! J'ai si mal…

— Je me dépêche, ma belle. Je roule aussi vite que je peux. Tiens bon…

Elles demeurèrent silencieuses tout le reste du trajet. Des larmes roulaient sans discontinuer sur les joues de Sheri. Ses lèvres ne cessaient de s'agiter en ce qu'Alice imaginait être une prière muette pour la survie de son bébé.

Les larmes débordèrent des yeux d'Alice, qui cette fois ne fit rien pour les retenir. Douze ans auparavant, elle s'était abîmée elle aussi dans une même prière désespérée. La sienne n'avait pas été entendue et son bébé n'avait pas été sauvé, mais elle espérait — et elle priait pour que celui de Jeff et Sheri le soit. Même si elle ne pouvait s'empêcher de craindre qu'il ne le soit pas…

12.

Enfin, au grand soulagement d'Alice, l'entrée des urgences de Sainte-Marie fut en vue. A peine s'était-elle garée qu'un infirmier poussant devant lui une civière jaillit du bâtiment, immédiatement suivi par Hayes et son fils. Aussitôt les portes franchies, le Dr Bennett emmena Sheri dans une salle d'examen, les laissant attendre tous trois à l'extérieur.

Hayes ne prononça pas un mot. Comme lors de leur visite précédente, il se tint immobile devant la fenêtre, contemplant la nuit d'un air absent, le visage figé et parfaitement indéchiffrable. Il paraissait complètement absorbé dans ses pensées, comme indifférent à ce qui l'entourait, et plus encore au drame en cours.

En l'observant, Alice se demanda s'il était réellement aussi insensible et détaché qu'il en donnait l'impression. Cela ne lui faisait-il vraiment rien de savoir qu'il risquait de ne jamais connaître l'enfant qui aurait pu devenir sa petite-fille ? Le cœur serré, elle finit par conclure que son insensibilité n'était pas feinte. Pourquoi se serait-il soucié du sort de ce bébé, alors que la perte de leur propre fille ne lui avait pas même tiré une larme douze ans auparavant ?

Avec une lenteur éprouvante, les minutes s'ajoutèrent aux minutes. Pour tromper l'attente, Alice se mit à faire les cent pas dans la pièce. Jeff broyait du noir en se rongeant les ongles sur une chaise. Hayes était le seul à ne manifester ni désarroi ni nervosité. Et au plus il restait impassible, au plus la tension montait dans la salle d'attente surchauffée.

Juste au moment où Alice pensait ne plus pouvoir y tenir, alors qu'elle s'apprêtait à bondir sur lui pour lui marteler la poitrine de ses poings en le sommant de réagir, le Dr Bennett revint dans la pièce. Portant sur le visage la triste nouvelle dont elle avait à faire part, elle marcha directement jusqu'à Jeff.

Les mains profondément enfoncées dans les poches de sa blouse blanche, la tête penchée en une expression de compassion et de sympathie, elle lui sourit tristement et dit d'une voix douce :

— Je suis désolée. Sheri est hors de danger, mais le bébé…

— Non ! cria Jeff en bondissant sur ses pieds, le visage déformé par la douleur. Non ! Dites-moi que ce n'est pas vrai.

L'obstétricienne posa une main sur son avant-bras.

— Je suis désolée, répéta-t-elle avec une grimace qui prouvait que ce n'était pas qu'une formule dans sa bouche. Je sais que c'est une piètre consolation, mais je ne vois pas de raison médicale pour que Sheri ne puisse pas concevoir un jour un autre enfant. Elle est jeune, en bonne santé. Dites-vous… dites-vous que cet enfant n'était sans doute pas destiné à naître.

Alice éleva une main tremblante à ses lèvres pour étouffer un cri de protestation et de douleur. Douze ans plus tôt, au terme de sa propre fausse couche, tel avait été mot pour mot ce que lui avait dit le médecin qui s'était occupé d'elle, avec la même intention, les mêmes intonations.

Ces mots s'étaient gravés en elle. Pendant des mois, elle les avait répétés mentalement en cherchant vraiment à y trouver du réconfort. *Cet enfant... n'était sans doute pas destiné à naître.* Mais jamais ils n'étaient parvenus à atténuer sa peine, tout comme ils ne parviendraient sans doute pas plus aujourd'hui à consoler Jeff ni Sheri.

Machinalement, son regard se reporta sur Hayes. Bien qu'il se fût retourné vers Jeff et le Dr Bennett à l'arrivée de celle-ci, il n'avait pas bougé de son poste près de la fenêtre, et son expression neutre n'avait pas varié à la nouvelle de la perte de l'enfant. Tout comme il n'avait pas manifesté la moindre émotion non plus, dans les mêmes circonstances, douze années auparavant...

Comme s'il se trouvait très loin d'elle, Alice entendit Jeff demander s'il pouvait voir Sheri. Avec la même impression troublante d'éloignement, le docteur donna son accord et tous deux remontèrent côte à côte un long corridor. Restée seule avec lui, elle ne détourna pas le regard de Hayes, même si son image lui apparaissait déformée par le voile de larmes qui lui embuait les yeux.

Et soudain, la vérité le concernant lui apparut dans toute son imparable crudité. Soudain, elle comprit ce qu'il avait cherché en vain à lui faire comprendre depuis si longtemps. Hayes Bradford n'avait pas été, n'était pas et ne serait jamais l'homme qu'il lui fallait. Il ne saurait pas plus la rendre heureuse à l'avenir qu'il n'en avait été capable dans le passé.

Le souffle bloqué dans sa poitrine, Alice laissa toute l'amertume de cette brutale prise de conscience faire son chemin en elle. Hayes ne serait jamais tout à fait là pour elle — en tout cas, pas de la façon dont elle avait besoin qu'il le soit, pas avec son cœur ni avec ses tripes. Il se refusait à ressentir. Il avait choisi de vivre coupé de ses émotions, de les éradiquer en lui autant que possible. Que la mort de sa femme puisse en être la cause ou qu'il eût toujours été ainsi, cet homme vivait en ignorant ce que lui dictait son cœur.

Sonnée, Alice secoua la tête. Tout cela, Hayes le savait et avait tenté de le lui faire comprendre à plusieurs reprises par le passé. Pourtant, jusqu'à cet instant, elle avait choisi de ne pas le voir. Parce que, en dépit de tout, elle l'aimait. Il n'était pas l'homme qui pourrait la rendre heureuse, mais elle n'aimait que lui, et n'aimerait sans doute personne d'autre.

Jamais autant qu'en cette minute le monde n'avait paru à Alice aussi cruel et absurde. Meg le lui avait catégoriquement affirmé — *s'il ne se rend pas compte de ta valeur, alors il ne te mérite pas.* Lorsqu'elle le lui avait dit, elle s'était imaginé qu'elle pourrait toujours se contenter de ce qu'il avait à lui offrir, si peu que ce fût, pourvu qu'il reste à ses côtés.

En proie à une subite colère, Alice redressa fièrement le menton, se dit que cette fois c'en était trop et que sa décision était prise. Elle en avait assez de s'accrocher à une chimère. Comme toute autre femme, elle avait besoin d'amour, elle avait besoin d'un homme pourvu d'un cœur, sur qui elle puisse compter dans toutes les circonstances de la vie, avec qui elle puisse communiquer sur l'essentiel.

La honte la submergea au souvenir des quelques semaines qui venaient de s'écouler. Elle avait essayé de se faire aimer de Hayes en lui cachant sa véritable nature, en dissimulant ses sentiments pour ne pas lui faire peur. En somme, en essayant de devenir comme lui. Comment, se demanda-t-elle avec effarement, avait-elle pu se tromper à ce point ? Comment avait-elle pu envisager de bâtir sa vie sur un mensonge ?

Hayes se décida enfin à tourner son regard vers elle, et pendant une interminable minute ils se dévisagèrent en silence. Un muscle se contractait sur sa mâchoire. Dans ses yeux, elle vit passer une lueur de tendresse qui la remplit d'espoir mais qui s'effaça à peine apparue. Il ouvrit la bouche pour parler, puis se ravisa, préférant se tourner de nouveau vers la fenêtre et se plonger dans la contemplation des ténèbres.

Alice eut l'impression que son cœur se brisait. En un instant comme celui-ci, alors qu'ils auraient dû se raccrocher l'un à l'autre, il ne leur était même pas possible d'échanger un mot ou un geste de réconfort... Corrigeant aussitôt son impression première, Alice décida que si lui n'en était pas capable, elle sentait quant à elle un flot de paroles, d'impressions et de sentiments affluer dans son cœur et sur le bout de sa langue.

La colère la submergea, lui donnant l'impression de revivre. Cette fois, se promit-elle, elle ne le laisserait pas s'en tirer à si bon compte... S'il pensait pouvoir lui échapper en se murant dans son insupportable mutisme, il en serait pour ses frais. Quoi qu'il en résulte, elle ne le laisserait pas ignorer ce qu'elle avait sur le cœur. Et quelle que soit l'issue de cette confrontation, elle l'obligerait à lui dire ce qu'il ressentait — ou ne ressentait pas — pour elle.

D'un pas résolu, elle marcha vers Hayes, venant se camper si près de lui qu'il n'eut d'autre solution que de lui faire face.

— Nous avons besoin de parler, lança-t-elle froidement.

Hayes soutint tranquillement son regard, avec une impassibilité qui lui fit mal.

— Comme tu voudras, murmura-t-il.

Pour empêcher ses mains de trembler, Alice croisa les bras contre sa poitrine.

— Nous ne pouvons continuer ainsi, reprit-elle en se laissant porter par l'indignation qui l'animait. Je t'aime et je ne peux me contenter de ce que tu m'offres en retour.

A l'exception d'une légère crispation de ses lèvres, Hayes ne trahit ni surprise ni émotion à ces mots. Devoir soutenir son regard dans ces conditions lui coûtait beaucoup, mais Alice s'y efforça vaillamment.

— Et toi ? insista-t-elle. M'aimes-tu aussi ? Es-tu prêt à t'engager auprès de moi ailleurs que dans un lit ?

— Alice, le moment est mal choisi pour...

— Au contraire ! coupa-t-elle sèchement. Le moment est on ne peut mieux choisi. N'essaie pas de te défiler et réponds : m'aimes-tu ?

Hayes marqua un temps d'hésitation, puis répondit à mi-voix :

— Il m'est impossible d'envisager ma vie sans toi.

Elle vacilla sous le choc.

— Mais ce que tu ressens n'est pas de l'amour, n'est-ce pas ?

Son silence la blessa bien plus que n'aurait pu le faire le plus cruel des aveux.

— Tu ne peux pas me laisser derrière toi, reprit-elle d'une voix tremblante, mais c'est pourtant ce que tu t'apprêtes à faire. Pour la seconde fois...

Avec un claquement de langue agacé, Hayes prit son visage entre ses mains.

— Je veux que tu sois heureuse, dit-il avec impatience. Et tu sais que je suis incapable de t'offrir le bonheur que tu mérites.

Alice posa ses mains sur les siennes, surprise de les découvrir mouillées de ses propres larmes.

— Dans ce cas, dit-elle, pourquoi être revenu vers moi ? Pourquoi m'as-tu laissé espérer des choses dont tu savais qu'elles étaient sans fondement ?

La surprise qui se peignit sur son visage n'était pas feinte.

— Est-ce ce que j'ai fait ? Il m'a semblé pourtant avoir toujours été honnête avec toi, Alice… Toujours.

— Tu en es sûr ?

Hayes essaya de retirer ses mains. Alice resserra l'emprise de ses doigts.

— Est-ce vraiment tout ce que tu ressens pour moi ? insista-t-elle en sondant son regard. Cette froide détermination, ce contrôle permanent de toutes tes émotions, c'est tout ce que je t'inspire ?

A sa grande surprise, Hayes se mit à rire, d'un rire sans humour, grinçant et sinistre, qui lui écorcha les oreilles autant que le cœur.

— Tu me parais mal placée pour donner des leçons d'honnêteté, lança-t-il d'un ton accusateur. Et toi ? Es-tu sûre de t'être montrée honnête envers moi, Alice ? Toutes ces dernières semaines, tu t'es cachée de moi, ne me laissant voir aucune de tes émotions. Comment étais-je supposé savoir ce qui se passait au fond de toi ? Tu m'avais claironné que tu ne voulais aucune complication émotionnelle. Tu m'avais fait comprendre clairement que tu n'attendais rien de notre relation…

Alice aurait voulu pouvoir réfuter cet argument, mais elle en était incapable. Hayes avait raison. Elle n'avait pas été honnête. Ni vis-à-vis d'elle-même, ni envers lui. Troublée, elle battit en retraite vers la fenêtre.

— Je t'ai dit ces choses, reconnut-elle d'une voix repentante. Mais je ne les pensais pas vraiment. Je ne les ai dites que pour te rassurer, parce que je pensais que tu voulais les entendre. Et parce que je m'efforçais d'être la femme que tu voulais que je sois.

— Question dissimulation, intervint-il d'une voix grinçante, tu me parais plutôt douée, toi aussi...

— Quand bien même je n'aurais pas menti, rétorqua-t-elle sans se retourner. Cela aurait-il suffi à faire la différence, ou cela t'aurait-il servi de prétexte à te détourner plus vite de moi ?

— Je ne sais pas.

Comme pour atténuer la dureté de cet aveu, Hayes la rejoignit, s'arrêtant juste derrière elle pour lui caresser les cheveux.

— Je n'ai jamais voulu te faire de peine, murmura-t-il dans un souffle. Je n'ai jamais voulu te faire souffrir.

Alice haussa les épaules, ferma les yeux pour résister à l'envie de le croire qu'elle sentait poindre en elle.

— Cela te fait sans doute du bien de te raccrocher à cette certitude. Mais que tu le veuilles ou non, tu me fais souffrir quand même.

— Ce que tu dis n'est pas juste, Alice. Et tu le sais.

— Vraiment ?

Alice fit volte-face. Les mains posées sur les épaules de Hayes comme pour l'empêcher de s'enfuir, elle capta son regard et dit :

— Sur le chemin de l'hôpital, Sheri m'a parlé d'une robe, une robe rose à mousseline et rubans, qu'elle avait rêvé de voir sa petite fille porter un jour. Je n'ai eu aucun mal à me représenter cette robe, parce que j'avais moi aussi rêvé autrefois de voir notre fille en porter une semblable.

A ces mots, Alice vit quelque chose passer sur le visage de Hayes. Quelque chose qui ressemblait fort à la tristesse, au regret. En hâte, il détourna le regard et remua les épaules pour se dégager. Pour l'en empêcher, elle resserra l'emprise de ses mains et insista :

— Si elle avait vécu, elle aurait eu onze ans en mars. Tu t'en souviens ?

Sous ses doigts, elle le sentit se raidir.

— Je m'en souviens.

— Tu ne le sais pas, reprit-elle, mais je lui avais donné un nom. Je l'avais appelée Megan, en hommage à ma mère adoptive.

— Pourquoi ne me l'as-tu jamais dit ? demanda-t-il en rivant de nouveau ses yeux aux siens.

Un sourire triste s'étira sur les lèvres d'Alice.

— Il y a tant de choses que je ne t'ai pas dites, Hayes. De toute façon, m'aurais-tu écoutée ? Nous n'en avons jamais vraiment parlé, tous les deux. Du fait d'avoir perdu notre fille. De ce que cette perte signifiait pour nous.

— C'est faux ! rétorqua-t-il. Nous en avons parlé... Nous avons...

Alice secoua la tête d'un air découragé.

— Quelques échanges timides vite expédiés. Un ou deux aveux pudiques à mi-mots...

De nouveau, Hayes prit son visage entre ses mains.

— Le passé est le passé, Alice. Que veux-tu que je te dise à présent ? J'aimerais te donner ce que tu attends de moi, mais je ne sais pas ce que c'est, je ne sais pas comment m'y prendre...

Alice détourna le regard. Une fois de plus, ils avaient atteint le nœud du problème, celui qui ne se laisserait pas facilement trancher. Hayes ne savait pas comment s'y prendre. Ils ne vivaient pas dans le même monde, n'appartenaient pas à la même réalité émotionnelle. Tel avait toujours été l'obstacle essentiel. Et tel il serait toujours... Une fois de plus, les adieux étaient inévitables. Mais cette fois, elle allait devoir s'y résoudre autant que lui.

Elle laissa les larmes qu'elle retenait depuis trop longtemps couler librement sur ses joues.

— Je t'aime, Hayes…, lâcha-t-elle dans un murmure. Je crois que je n'ai jamais cessé de t'aimer. Je sais à présent que c'est la raison pour laquelle je n'ai pas épousé Stephen. Je ne suis jamais parvenue à renoncer à l'espoir fou qu'un jour tu me reviendrais.

D'un geste brusque, Alice essuya ses joues et reprit :

— Mais à présent, t'aimer à sens unique ne me suffit plus. Je veux fonder une famille. Je veux que ma vie s'écoule auprès d'un homme avec qui je puisse tout partager, avec qui je puisse avoir des enfants. Pour moi, il n'est pas encore trop tard pour espérer y parvenir.

Au prix d'un gros effort de volonté, Alice se tourna vers lui et se força à le regarder dans les yeux.

— Tu avais raison, conclut-elle. Tu n'es pas l'homme qu'il me faut. Je ne pourrai jamais être heureuse avec toi. Je m'en rends compte à présent.

Hayes sentit le monde vaciller sous ses pieds tandis que les mots d'Alice, durs et définitifs, pénétraient en lui comme une lame, tranchant tout sur leur passage. Ainsi qu'il le faisait depuis toujours, il se raidit pour résister au flot d'émotions qui se bousculaient en lui. Cette fois, pourtant, c'était un tel torrent qu'il lui était difficile d'y résister. Une certitude dominait toutes les autres — il allait devoir vivre sans Alice le reste de son existence. Cette perspective lui semblait aussi insoutenable que celle de devoir cesser de respirer.

— Je… je ne sais pas quoi dire, balbutia-t-il.

— A moins que tu ne te sentes capable de me dire que tu m'aimes, répliqua-t-elle avec un sourire triste, il n'y a rien à ajouter, en effet...

Hayes serra les poings et grinça des dents, luttant contre le besoin irrépressible de bondir vers Alice et de la serrer dans ses bras pour ne plus jamais la lâcher. Il n'en avait pas le droit. Il l'avait déjà trop fait souffrir. Il devait se résoudre enfin à la laisser lui échapper pour trouver auprès d'un autre le bonheur légitime auquel elle aspirait.

— Alors va-t'en, s'entendit-il murmurer. A quoi bon prolonger inutilement les adieux ?

Alice parut hésiter un instant. Hayes connut quelques secondes d'espoir insensé. Puis, après avoir pioché un mouchoir en papier dans son sac pour achever de sécher ses pleurs, elle s'éloigna en direction du corridor que Jeff et le Dr Bennett avaient emprunté.

Avant de s'y engager à son tour, elle se retourna une dernière fois et lança, d'une voix pleine de regrets :

— Quel dommage que les choses se terminent ainsi entre nous. Nous aurions pu être tellement heureux, tous les deux. Si seulement tu avais pu accepter d'avoir un cœur...

Longtemps après qu'Alice eut disparu à ses yeux, Hayes resta figé sur place, incapable du moindre geste, de la moindre pensée. Aucune des vérités qu'elle venait de lui assener ne lui était inconnue. Pourquoi, dès lors, était-il si douloureux d'avoir à se contempler dans le miroir qu'elle lui avait tendu ?

Ne sachant que faire d'autre, il s'apprêtait à plonger dans le spectacle morose offert par la fenêtre lorsqu'il vit son fils déboucher du corridor. La tête basse, les épaules tombantes, il offrait le spectacle d'un tel désarroi, d'une telle affliction, que l'envie lui vint d'aller le serrer dans ses bras pour le consoler.

Jeff, qui venait de l'apercevoir, ne lui en laissa pas l'opportunité. Traversant la salle d'attente à grandes enjambées, il le rejoignit et vint se camper solidement devant lui, plus en colère que jamais et apparemment déterminé à en découdre.

— Sheri a demandé à te voir, dit-il d'une voix grondante de colère. Je me demande bien pourquoi ! Mais au cas où tu voudrais lui faire plaisir, elle est dans la chambre 18.

Trop bouleversé par son agressivité manifeste pour prononcer un mot, Hayes se contenta de hocher la tête.

— Tu es content ? reprit Jeff d'une voix bouleversée. Tu as ce que tu voulais...

— Je ne suis pas content, répondit Hayes en soutenant son regard même s'il lui en coûtait. Je suis au contraire terriblement désolé. Et tu n'as pas le droit de dire que c'est ce que je voulais. Ce n'est ni juste ni vrai. Mais je ne t'en veux pas. Je sais combien tu souffres...

La mâchoire contractée, les yeux noirs de fureur, Jeff approcha son visage du sien.

— Foutaises ! grogna-t-il. Tu n'as jamais voulu de cet enfant. Tu ne rêvais que de t'en débarrasser. Alors ne t'avise pas de jouer les affligés à présent qu'il est...

Sa gorge se noua dans un sanglot avant qu'il ait pu achever sa phrase, et ses yeux se remplirent de larmes.

— Tout ce que j'ai toujours voulu, expliqua Hayes d'une voix égale, c'est assurer les conditions de ton bonheur. A présent, si cela peut te soulager, défoule-toi sur moi... Mais je ne te garantis pas de pouvoir encaisser un deuxième coup de poing sans réagir.

Comme s'il s'apprêtait à le prendre au mot, Jeff serra le poing et prit son élan. Mais alors que Hayes se préparait à recevoir le coup, il laissa retomber son bras avec un cri de rage et le contourna pour foncer vers la sortie. Hayes ne fit rien pour le retenir. Il comprenait la douleur et la colère de son fils. Il comprenait aussi qu'elles soient dirigées contre lui. Mais comprendre ne l'aidait en rien à atténuer sa souffrance…

Pour la deuxième fois en quelques minutes, il lui fallait se résoudre à regarder une part de lui-même le quitter. Une boule d'angoisse se forma dans sa gorge à l'idée qu'il était en train de tout perdre — Alice, Jeff, et cette petite-fille qui « n'était pas destinée à naître » et qu'il ne connaîtrait jamais.

De longues minutes s'écoulèrent encore sans qu'il se décide à bouger. Désemparé et inutile, il lui semblait n'avoir rien d'autre à faire que de rester planté dans cette salle d'attente inhospitalière et anonyme. A bien y réfléchir, plus rien dans cet endroit ne le retenait — mais rien non plus ne l'obligeait à partir.

Alice émergea à son tour du corridor alors qu'il en était encore à hésiter sur la conduite à tenir. Ses yeux croisèrent les siens, et il les trouva toujours noyés de larmes. Il aurait tout donné pour pouvoir traverser la pièce et la rejoindre, pour la serrer dans ses bras et la réconforter. Il dut se faire violence pour s'en empêcher, se rappelant qu'il en avait perdu le droit quelques instants plus tôt.

Sans un mot, Alice finit par détourner le regard et se hâta vers la sortie. Enfin décidé à faire la seule chose qu'il lui restait à faire, Hayes se dirigea d'un pas pesant vers la chambre de Sheri.

La jeune fille dormait d'un sommeil agité lorsque Hayes pénétra en hésitant dans sa chambre, après que nul n'eut répondu aux coups qu'il avait frappés contre sa porte. Allongée sur le dos, aussi blanche que les draps sur lesquels elle reposait, elle gémissait doucement en dormant, les yeux cernés et le visage crispé.

Sans réfléchir à ce qu'il faisait, Hayes rejoignit la tête de son lit et tendit le bras pour lui caresser tendrement les cheveux.

— Je suis désolé, s'entendit-il murmurer. Sans doute ne me croirais-tu pas si tu étais réveillée, comme Jeff n'a pas voulu me croire, mais je t'assure que c'est vrai.

La gorge serrée, Hayes dut s'éclaircir la voix pour pouvoir poursuivre :

— Je... je n'exprime pas facilement mes sentiments. Je me sens tellement maladroit, tellement emprunté pour le faire... On peut me le reprocher. Mais cela ne signifie pas que je n'en ai pas. Et ce soir...

Submergé par l'émotion, il fit une pause pour se reprendre et conclut :

— Ce soir je me sens terriblement malheureux moi aussi. Après tout, c'est ma petite-fille que je viens de perdre. Et cela... cela fait mal.

Ses yeux s'embuèrent. Pour ne pas pleurer, Hayes s'empressa de détourner le regard du délicat visage de Sheri pour contempler sans la voir une aquarelle pendue au-dessus du lit. D'une voix absente, pour lui-même, il reprit sa confession hésitante et douloureuse.

— Je sais que les gens me surnomment *Bradford-cœur-de-pierre*... Si seulement cela pouvait être vrai ! Si ça l'était, je ne me sentirais pas aussi misérable...

Avec un petit rire grinçant, Hayes laissa son regard glisser vers le visage de Sheri, chassant du bout des doigts une mèche de son front.

— Alice et moi, confia-t-il à mi-voix sans la quitter des yeux, nous avons aussi perdu un bébé, autrefois... Tu le savais ? Je crois que Jeff ne le sait pas. Quand il était petit, nous avions décidé d'attendre un peu avant de lui annoncer qu'Alice était enceinte, et puis...

Une nouvelle fois, Hayes dut s'interrompre un instant avant de soupirer longuement et de conclure :

— Je crois que ce que j'essaie de te dire, c'est que je comprends ce que Jeff et toi êtes en train de traverser. Je sais combien vous désiriez ce bébé tous les deux. Parce que... je désirais moi aussi que mon bébé naisse... celui qu'Alice a perdu il y a si longtemps. Et cela... nous a fait tellement mal quand il est... mort.

Hayes agrippa le garde-fou du lit d'hôpital et le serra fortement.

— Il va nous falloir apprendre à nous connaître, murmura-t-il après un long silence. Je n'ai jamais rien eu contre toi, Sheri. Je sais que tu penses le contraire, mais je t'assure que je ne t'ai jamais méprisée, que je n'ai jamais pensé que tu n'étais pas la femme qu'il fallait à mon fils. Tout ce que je craignais, c'était qu'il ne soit pas prêt pour le mariage et pour fonder une famille. Je le croyais trop jeune pour endosser de telles responsabilités. Tu es une fille courageuse, Sheri Kane. Sans doute beaucoup plus que je ne le suis...

Un petit rire amusé échappa aux lèvres de Hayes.

— Tu croiras sans doute encore moins ce que je vais te dire, mais j'aurais été fier de t'avoir pour belle-fille...

D'un coup, les yeux de Sheri s'ouvrirent tout grands et croisèrent ceux de Hayes. Durant un long moment, ils se dévisagèrent en silence avant qu'enfin elle ne murmure, d'une voix brisée par l'émotion et la fatigue :

— Je vous crois, monsieur Bradford... Et je pense... je pense que vous auriez fait un excellent beau-père...

Hayes ne sut que répondre. Les yeux embués, il ne put que la regarder tendre la main pour serrer la sienne. Quelque chose en elle la faisait paraître beaucoup plus mature et avisée qu'elle n'aurait dû l'être à son âge. En un geste dont il ne se serait jamais cru capable, il serra tendrement ses doigts glacés entre les siens pour les réchauffer.

— Où est Jeff ? demanda-t-elle.

Son expression dut être éloquente, car Sheri comprit sans qu'il ait besoin de préciser. Ses yeux s'emplirent de larmes.

— Vous devez aller le chercher, monsieur Bradford. Il était… tellement perdu, tellement peiné. Moi, je ne peux rien faire pour lui. Je crois qu'il a besoin de vous.

Hayes secoua la tête, fermant les paupières pour retenir les larmes qui s'y accumulaient.

— Non, gémit-il d'une voix qu'il ne reconnut pas. Je ne le pense pas. Il n'a pas besoin de moi ni de ma compassion. Il me l'a dit.

— Vous ne devez pas le croire ! insista Sheri en serrant ses doigts fortement. Il a besoin de vous plus que de tout au monde.

Ses paupières battirent lourdement, et Hayes comprit que le sommeil ne tarderait pas à la faire sombrer dans un oubli consolateur. Ses paroles résonnaient fortement en lui. Se pouvait-il qu'elle eût malgré tout raison ? Jeff avait-il besoin de lui ? S'il faisait le premier pas, s'il lui disait les mots qu'il avait besoin d'entendre, se pouvait-il qu'il puisse lui revenir ? Soudain, il comprit que si quelqu'un pouvait l'aider à reconquérir son fils, c'était Sheri. Elle le connaissait mieux que quiconque, mieux que lui.

— Sheri ? demanda-t-il, avant qu'elle ne soit tout à fait endormie. Pourquoi Jeff est-il tellement en colère contre moi ? Qu'est-ce que je lui ai fait ? Dis-le-moi…

Un faible sourire étira les lèvres décolorées de la jeune fille. Elle ouvrit les yeux, et il approcha son visage du sien pour l'entendre murmurer :

— Ce qui compte… c'est ce que vous n'avez pas fait… ou dit.

Ses paupières papillonnèrent longuement. De crainte qu'elle ne sombre dans l'inconscience avant d'avoir pu l'aider, Hayes insista d'une voix pressante :

— Qu'est-ce que je n'ai pas fait ? Qu'est-ce que je n'ai pas dit ?

— Que vous l'aimez ! lâcha Sheri dans un souffle. Jeff est persuadé… que vous ne l'aimez pas.

Ses paupières s'abaissèrent lourdement et sa main glissa dans celle de Hayes. Durant ce qui lui sembla durer une éternité, il resta immobile à côté de son lit. Ses derniers mots se bousculaient sous son crâne. Son fils était persuadé qu'il ne l'aimait pas. Jeff s'imaginait que son père n'avait aucun sentiment pour lui…

Doucement, Hayes reposa la main inerte de Sheri sur le drap et soupira. Bien plus qu'anéanti par ce qu'il venait d'apprendre, il était soulagé de comprendre enfin de quoi il retournait.

Si Jeff doutait de son amour, il ne devait pas s'étonner qu'il fût tellement en colère contre lui, qu'il prît chacune de ses remarques pour une critique, toute intervention de sa part comme une marque de mépris ou d'insatisfaction… En les forçant l'un et l'autre à camper sur des positions diamétralement opposées, la soudaine grossesse de Sheri n'avait fait qu'envenimer la situation.

Le remords et la culpabilité l'assaillirent en songeant que dans ce gâchis il portait sans doute la plus lourde part de responsabilité. Depuis quand n'avait-il pas dit à son fils qu'il l'aimait ? Lui avait-il même jamais dit de vive voix, autrement que de manière indirecte et par sous-entendu ?

Pourtant, songea-t-il, il avait tenté de prouver à Jeff qu'il l'aimait de bien d'autres façons. En étant toujours là pour lui. En lui enseignant ce qu'il pensait être le bien et le mal. En réunissant toutes les conditions de sa réussite. En lui apprenant à se conduire comme un homme, à être fort, raisonnable, solide... mais sans jamais vraiment lui dire qu'il l'aimait.

En somme, conclut-il amèrement, il s'était conduit avec Jeff comme il pensait qu'un père devait le faire avec son fils — *comme son père l'avait fait pour lui*. Mais cela n'avait pas été suffisant. Et cela n'avait rien que de très compréhensible, à en juger d'après les résultats de l'éducation qu'il avait reçue, au regard de l'homme qu'il était devenu. Il pouvait en fait s'estimer heureux que par un sain réflexe de survie son fils ait refusé de suivre sa trace et de se couler dans le moule, de ressembler au modèle qu'il lui offrait.

Refusant de se laisser gagner par le désespoir, Hayes tenta de se ressaisir. La seule question qui comptât véritablement, à présent, était de savoir s'il était trop tard pour y remédier ou s'il pouvait encore corriger ses erreurs. La première chose à faire était de retrouver Jeff, de lui parler, de lui dire enfin ce qu'il aurait dû depuis longtemps lui dire et lui répéter à en perdre le souffle.

Avant de sortir de la chambre, Hayes se pencha doucement sur le lit de Sheri et déposa un baiser sur son front.

— Merci, murmura-t-il simplement. Merci mille fois.

*
* *

Le cœur battant, incertain quant à la conduite à tenir, Hayes se rua hors de l'hôpital. Sur le parking, il regarda les premières lueurs grises de l'aurore poindre à l'horizon. Venue du tréfonds de sa conscience, une intuition se faisait jour en lui quant à l'endroit où il pourrait retrouver son fils.

13.

Lorsque Hayes atteignit le pont de Madisonville du haut duquel sa femme avait trouvé la mort, l'aube achevait d'illuminer le ciel de brillantes couleurs. Un soulagement intense l'envahit en constatant au premier regard que son intuition ne l'avait pas trompé.

Jeff se tenait debout au milieu du vieux pont, penché au-dessus du parapet, les yeux rivés à la rivière qui coulait en contrebas. Il n'avait pas réalisé avant cet instant à quel point il avait eu peur pour son fils, à quel point il avait craint que, poussé par le désespoir, Jeff ne fasse une bêtise.

Après avoir garé son véhicule à l'entrée du pont, il sortit et referma doucement la portière. Mais même ainsi, le bruit parut claquer comme un coup de feu dans le silence matinal. Adressant une prière muette au ciel pour trouver les mots justes, Hayes plongea ses mains au fond de ses poches et marcha lentement en direction de son fils.

Pas une fois tandis qu'il s'approchait Jeff ne dirigea son regard vers lui. S'il l'avait entendu arriver, peut-être avait-il choisi de l'ignorer ou était-il trop abîmé dans ses souvenirs. Hayes fut frappé, dans la lumière crue du petit matin, de le trouver si jeune, si fragile — bien trop fragile et trop jeune pour le drame auquel il avait à faire face, pour le deuil qu'il avait à faire. Bien trop jeune et surtout bien trop seul...

Parvenu à sa hauteur, Hayes s'accouda sans un mot au parapet et s'absorba lui aussi dans la contemplation des eaux grises et tourbillonnantes.

— Comment savais-tu que j'étais là ?

Hayes tourna la tête et croisa le regard de son fils. Il vit que ses yeux étaient rouges d'avoir pleuré et sentit son cœur s'emplir de compassion.

— Je l'ai deviné, répondit-il.

— Bravo ! lâcha Jeff d'une voix chargée d'amertume. Tu as encore gagné. Maintenant, tu peux partir.

Hayes secoua tristement la tête.

— Pas question, dit-il. Je ne peux pas faire ça. Nous avons bien des choses à nous dire, tous les deux.

Les yeux de Jeff s'emplirent de larmes. Il s'empressa d'en revenir à la contemplation de la rivière, manifestement embarrassé de ne pouvoir masquer ses émotions.

Le cœur serré, Hayes réalisa que c'était sans doute lui qui lui avait transmis cela. Par son exemple, il lui avait appris à garder pour lui ce qu'il ressentait, à s'en méfier, à ne jamais en faire part à autrui. Exactement comme son propre père le lui avait appris...

Sans même s'en rendre compte, en ne voulant que le bien de son fils, il avait commis tellement d'erreurs qu'il n'aurait peut-être pas assez du reste de sa vie pour se rattraper.

En tout cas, conclut-il pour lui-même, il n'était pas trop tôt pour commencer...

— Tu viens de perdre ton enfant, Jeff. Tu as le droit d'avoir mal. Tu as le droit de pleurer. Cela ne fait pas moins de toi un homme...

— Non ?

D'un geste rageur de la main, Jeff essuya les larmes qui coulaient sur ses joues.

— Et toi ? reprit-il d'un ton rageur. Quand as-tu pleuré, quand as-tu souffert pour la dernière fois ?

— Hier soir. J'ai souffert pour toi et Sheri. J'ai pleuré parce que j'avais mal.

Soudain, il songea à Alice et se rendit compte qu'une douleur n'avait pas quitté sa poitrine, lancinante et presque insupportable, depuis qu'ils s'étaient quittés.

D'une voix rendue méconnaissable par le chagrin, il s'entendit ajouter :

— Et cela fait toujours mal.

Hayes sentit son fils se figer à côté de lui. Et bien qu'il ne dise pas un mot, il comprit que sans le vouloir, en laissant simplement parler son cœur, il avait réussi à briser le cercle vicieux de la rancœur et à capter son attention.

Le cœur empli de joie et d'espoir, il prit une profonde inspiration pour se donner le courage de poursuivre et se lança :

— Je peux comprendre que ce soit dur à croire. Je me suis trompé sur tant de choses… Sur ce que c'est que d'être un homme. Sur ce que je devais t'apprendre à ce sujet. Je me suis aussi leurré sur ce que les autres attendaient de moi. Et sur ce dont j'avais besoin et envie.

Le visage déformé par la douleur, Jeff tourna la tête vers lui.

— Tu n'as jamais eu besoin de rien ! lança-t-il d'une voix accusatrice. Tu as toujours été tellement… maître de toi. Sans faiblesses, sans peurs, irréprochable, solide comme un roc. Dieu ce que j'ai cherché à être comme toi… Mais évidemment, je n'ai jamais été à la hauteur !

Hayes fut épouvanté d'entendre ces paroles. Il n'avait jamais eu le moindre soupçon de ce que Jeff lui confiait, jamais pensé qu'il puisse avoir une telle influence sur lui.

— Pour l'amour de Dieu ! N'essaie surtout pas de me ressembler. J'ai été tellement aveugle et stupide jusqu'à ce jour que j'en avais fini par ne plus distinguer le faux du vrai... Mais à présent c'est terminé.

Avisant la stupéfaction qui se lisait sur le visage de Jeff, Hayes eut un rire sans joie et se risqua à lui serrer brièvement les épaules.

— Après la mort de ta mère, dit-il sur le ton de la confidence, je me suis accusé d'avoir été responsable de son désespoir, de sa fin tragique. Je me suis tellement chargé les épaules de culpabilité que j'en suis arrivé à ignorer totalement à quel point sa disparition m'avait fait souffrir. Tout ce que je voyais, c'était combien elle t'avait fait souffrir *toi*.

Hayes s'obligea à tourner la tête vers son fils et attendit d'avoir capté son regard pour conclure :

— Mais naturellement, la mort de ta mère m'a anéanti moi aussi. Tellement qu'inconsciemment la seule idée de me risquer à aimer une autre femme un jour m'est devenue insupportable...

Il serra les dents et détourna le regard. Puis, comprenant ce qu'il était en train de faire, il se ressaisit et s'obligea à s'exposer au regard de celui qu'il aimait plus que tout au monde, et qui s'imaginait ne pas être aimé de lui.

— J'ai toujours eu besoin de toi, fils. Je t'ai toujours aimé et je t'aime toujours.

Comme un sésame pour le bonheur, ces simples mots libérèrent en lui un flot de sentiments qui lui apportèrent une détente et un soulagement qu'il n'avait plus connus depuis longtemps.

Jeff, le premier instant de stupeur passé, avait baissé la tête pour faire mine de s'abîmer de nouveau dans le spectacle de la rivière dix mètres plus bas.

— Je ne comprends pas pourquoi je ne te l'ai pas dit plus tôt ni plus souvent. Cela nous aurait sans doute évité bien des incompréhensions, bien des déchirements. Mais je suis certain de l'avoir toujours ressenti au fond de moi, sans aucun doute, aucune ambiguïté. Je me suis retrouvé impuissant et terrifié, ces derniers mois, à l'idée qu'il était trop tard, que je t'avais déjà perdu. Tu es mon fils, et je n'ai pas la moindre idée de ce à quoi pourrait ressembler ma vie si je devais te perdre...

Hayes conclut sa confession par un long soupir libérateur. Il ne s'était plus senti aussi bien, aussi apaisé depuis fort longtemps, mais le plus dur restait à dire.

— Est-ce que je t'ai perdu, Jeff ? Est-il trop tard pour que nous cherchions à être de nouveau père et fils, comme nous n'aurions jamais dû cesser de l'être ? Ne pouvons-nous pas au moins essayer de le redevenir ?

Hayes retint son souffle. Durant de longues secondes, Jeff garda la tête baissée. Enfin, il leva les yeux vers lui, des yeux brillants, emplis de fierté et d'espérance.

— J'aimerais beaucoup ça, papa.

La maison n'avait pas changé. Petite et misérable, elle était située au milieu d'une rue sordide du pire quartier de Covington. Même les arbres au bord des trottoirs y paraissaient vaincus et malheureux.

Après s'être garée, Alice coupa le contact mais ne fit pas un geste pour sortir du véhicule. Avec réticence, elle coula un regard dégoûté en direction du porche affaissé et décrépit, couvert d'une peinture craquelée qui tombait en lambeaux.

Pour se réconforter, elle songea à sa petite maison restaurée, propre et nette, et se dit qu'elle avait parcouru bien du chemin depuis qu'elle avait quitté cette rue. Mais au fond, tout au fond d'elle-même, se demanda-t-elle avec angoisse, en avait-elle parcouru tant que cela ?

Ses yeux se reportèrent sur ses mains, serrées si fort autour du volant que les jointures en étaient blanches. A la seule idée de l'endroit où elle se trouvait, son cœur battait à tout rompre.

Pourtant, tenta-t-elle de se raisonner, elle n'avait aucune raison de paniquer. Elle vivait dans un beau quartier, à présent, au milieu d'un voisinage agréable, dans une belle maison. Elle avait un bon métier.

Et pourtant, conclut-elle pour être honnête avec elle-même, jamais autant qu'en cet instant elle ne s'était sentie aussi proche de la petite fille terrorisée qui devait se protéger de la fureur de sa mère.

A l'époque, Alice devait se cacher pour survivre. Mais elle n'était plus tout à fait sûre de ne pas avoir continué à le faire, ensuite, même lorsque cela n'avait plus été nécessaire. Se cacher et s'enfuir… Hayes l'avait accusée d'avoir fait les deux dernièrement. Et même s'il lui en coûtait, elle devait bien admettre qu'il n'avait pas tort.

Les yeux d'Alice s'emplirent de larmes au seul souvenir de Hayes. Vaillamment, elle lutta pour les contenir. Non pas pour se couper de ses émotions, mais parce que depuis qu'ils s'étaient quittés, quelques heures auparavant, il lui semblait avoir pleuré pour le reste de son existence…

Dieu, comme elle l'avait aimé… et comme elle l'aimait encore ! Mais alors qu'elle avait décidé d'aller de l'avant, en ce premier jour de sa nouvelle vie, le moment était mal choisi pour sombrer dans la nostalgie.

Sans hésiter, Alice ouvrit la portière et descendit de voiture. Cela faisait déjà trop longtemps qu'elle portait des œillères pour ne plus voir son passé.

Le temps était venu pour elle d'affronter sa mère et d'en finir une bonne fois pour toutes avec elle. Sa maison avait beau ne pas avoir changé, elle était quant à elle une tout autre personne.

La petite fille terrorisée avait grandi. Il ne lui restait plus qu'à se convaincre qu'elle n'avait aucune raison d'avoir peur...

Un peu plus fort qu'il n'eût été nécessaire, Alice claqua sa portière et remonta le trottoir. D'un pas décidé mais un peu raide, elle traversa le petit jardin en friche. Les marches se creusèrent sous son poids. Le plancher du porche gémit et craqua. Son doigt cogna contre le vantail de bois fendillé, mais elle n'en entendit pas le bruit, tant son pouls cognait fort à ses oreilles.

Les secondes s'égrenèrent, interminables. Le bruit d'une personne se déplaçant avec difficulté lui parvint de l'intérieur. 10 heures était peut-être une heure un peu trop matinale pour une alcoolique, songea Alice avec une vague nausée. Surtout quand celle-ci adorait faire la noce jusqu'aux petites heures du jour...

Prête à faire demi-tour avant que la porte ne s'ouvre, Alice s'étonna d'avoir pu oublier ce détail. Du plus loin qu'elle se souvienne, elle avait toujours pris son petit déjeuner, fait sa toilette, enfilé ses vêtements et préparé ses affaires pour partir à l'école toute seule. Ils étaient rares les jours où ses parents se levaient avant midi...

Mais avant qu'elle ait pu s'enfuir, la porte s'ouvrit et sa mère apparut sur le seuil, l'épiant de ses petits yeux cernés, plissés par la méfiance et la curiosité. Alice sentit son cœur se serrer. Rien ne pouvait la protéger à présent. Elle aurait beau se dire qu'elle était une adulte responsable et apte à se défendre, rien ne l'empêcherait en soutenant le regard de sa mère de se sentir aussi vulnérable qu'une enfant plus habituée aux taloches qu'aux caresses.

Fascinée malgré elle, Alice laissa ses yeux courir sur Marge Dougherty. Sa mère avait terriblement vieilli au cours de toutes ces années. Son visage portait les stigmates de chaque verre d'alcool, de chaque cigarette, de chaque pensée amère qui lui avaient empoisonné l'existence. Ses cheveux grisonnaient sur son crâne et s'étaient raréfiés au point de laisser voir le cuir chevelu. Elle portait pour tout vêtement un peignoir défraîchi, et une cigarette éteinte pendait à ses lèvres.

— Ouais ? dit-elle en l'allumant d'une main qui tremblait. C'est pour quoi ?

Avec stupéfaction, Alice comprit que sa mère ne la reconnaissait pas. Si elle le souhaitait, il lui était encore possible de s'éclipser en invoquant une vague excuse. Mais si elle le faisait, se dit-elle, elle ne saurait pas ce qui la reliait encore à son passé et n'en serait jamais tout à fait débarrassée.

Se redressant de toute sa hauteur, elle attendit que Marge Dougherty eût reposé les yeux sur elle pour lancer :

— C'est moi, Alice.

— Alice ?

Fronçant les sourcils pour lutter contre la fumée de cigarette qui lui montait dans les yeux, sa mère l'observa avec attention.

— Alice ? répéta-t-elle. C'est toi ? Ma petite fille… Je ne t'aurais jamais reconnue.

Un poids au creux de l'estomac, Alice remonta sur son épaule la bandoulière de son sac.

— Je peux entrer ?

Précipitamment, Marge Dougherty s'effaça sur le seuil et bredouilla maladroitement :

— Ouais… Pour sûr ! Fais comme chez toi.

Alice la suivit à l'intérieur, songeant que quoi que sa mère en pense, elle n'avait jamais été ici chez elle, même lorsqu'elle y vivait encore. Lentement, elle laissa son regard errer à travers la pièce, cherchant quelque chose, ou quelqu'un — elle n'aurait su dire quoi. Son père peut-être ? Ou une avalanche de douleur et de regrets ? Le fantôme de son enfance malheureuse, errant entre ces murs ?

A l'intérieur non plus la maison n'avait pas changé. Les meubles dépareillés étaient simplement plus vieux et plus branlants, la table basse du salon plus couverte de bouteilles, de cendriers débordants de mégots et de boîtes de nourriture à emporter. Rien n'avait changé, mais elle fut surprise d'en éprouver du soulagement plus que de la tristesse. Ce n'était rien qu'une pièce inhospitalière qui sentait la misère et le renoncement. Rien d'autre. Rien qui puisse, en tout cas, représenter une menace pour elle.

A l'invitation de sa mère empressée, Alice s'assit au bord du divan défoncé et en vint sans attendre à l'objet de sa visite.

— Tu as cherché à me contacter. Pourquoi ?

— Pourquoi ? répéta sa mère en écarquillant les yeux. Mais parce que comme je te l'expliquais dans ma lettre, je veux renouer des liens avec ma fille. Cela fait trop longtemps que nous sommes séparées, toutes les deux.

Saisie par un frisson, Alice croisa les mains entre ses jambes et insista, en se forçant à ne pas détourner le regard :

— Mais pourquoi maintenant ? Pourquoi te décider à me recontacter après toutes ces années ?

Les yeux réduits à deux minces fentes, sa mère tira longuement sur sa cigarette avant de répondre dans un panache de fumée :

— Parce qu'à présent que ton père est mort, tu es la seule famille qui me reste. Et parce que dans une famille on doit se serrer les coudes et être unis.

Troublée par ces mots, Alice s'efforça de ne pas se laisser aveugler par eux. Ce n'étaient que des mots. Même si une vie de famille telle que sa mère la décrivait était ce dont elle avait toujours rêvé, celle-ci lui avait prouvé bien des années auparavant par ses actes quelle singulière conception de la famille elle avait.

— Ce que tu veux dire, reprit-elle d'une voix posée, c'est qu'à présent que tu es seule, tu voudrais une place dans ma vie.

Mal à l'aise, Marge Dougherty tira une dernière bouffée de sa cigarette et l'écrasa nerveusement dans le cendrier le plus proche.

— Oui, reconnut-elle avec un certain agacement. C'est bien ce que j'ai dit. Nous devrions nous retrouver toutes les deux. Après tout, je suis ta maman…

Ce mot, qui aurait dû être respecté entre tous, ramena à l'esprit d'Alice les souffrances que Sheri venait de traverser. Les larmes aux yeux, elle songea à quel point la jeune fille avait aimé cet enfant qu'elle portait, avant même sa naissance, à quel point elle s'était inquiétée pour lui. Durant les quelques mois de sa grossesse, elle avait été une bien meilleure mère que Marge Dougherty durant toutes les années qu'elle avait passées près d'elle.

Le regard d'Alice croisa de nouveau celui de sa mère. Alors, pour la première fois de son existence, elle la vit pour ce qu'elle était — une femme qui sans doute n'avait pas eu de chance dans la vie, mais qui n'avait pas non plus eu la force de caractère, l'élan vital pour s'en sortir et pour revendiquer une vie meilleure. Une femme qui ne s'était jamais souciée de quiconque à part d'elle-même. Un être humain égoïste et aigri, dont la veulerie n'avait d'égale que la méchanceté. Elle n'était en tout cas qu'un être de chair et de sang, que l'âge rendait plus pathétique que dangereux, et non ce monstre tout-puissant que l'enfant qu'elle était autrefois en avait fait. C'était elle qui lui avait donné ce pouvoir — elle aussi qui pouvait le lui reprendre…

Tandis que cette vérité lentement s'imprégnait en elle, Alice sentit l'enfant maltraitée d'autrefois s'apaiser, la laissant enfin entière, forte, et libérée de la peur. Elle n'avait plus besoin de l'amour de sa mère. Elle n'avait que faire de son approbation. Marge Dougherty était à jamais incapable de l'aimer, mais cela ne lui était plus une souffrance.

Alice Dougherty avait dorénavant assez d'amour et de considération pour elle-même. Elle pouvait se passer de l'amour et de la considération de sa mère et de qui que ce soit d'autre.

— Je suis désolée, dit-elle en se levant. Je n'ai aucune envie d'avoir quelque lien que ce soit avec toi. Toute relation entre nous a été définitivement rompue il y a bien longtemps.

— Quoi ! s'écria sa mère en se dressant d'un bond sur ses jambes, le visage soudain rouge de fureur. Dans une famille, on se soutient, on s'aime et on se serre les coudes. Et les enfants doivent le respect à leurs parents !

Une colère salutaire gonfla la poitrine d'Alice, lui coupant le souffle. Après tout ce qu'elle lui avait fait — et tout ce qu'elle n'avait pas fait —, elle ressentait comme un outrage le fait d'entendre sa mère se répandre en de telles considérations.

— Tu n'as aucune idée de ce que doit être une famille ! lança-t-elle en laissant libre cours à sa colère. Dans une famille, comme tu le dis si bien, on s'aime et on se respecte. Or, c'est exactement ce que ni toi ni mon père n'avez jamais su faire ! La vérité, c'est que tu te soucies de la famille comme d'une guigne… Tout ce que tu vois, c'est que tu vieillis mal et tu voudrais que je sois là pour prendre soin de toi. Je te rappelle que tu n'as jamais pris soin de moi, toi ! Quand j'avais cinq ans, je tremblais de froid dans mon lit sans couverture. Un jour, alors que j'avais dix ans, je n'ai pas pu aller à l'école pendant plusieurs jours tellement tu m'avais battue au visage !

Avant de se diriger vers la porte, Alice secoua la tête et conclut :

— Nous ne pouvons pas redevenir une famille. Nous n'en avons jamais été une !

— Tu… tu ne peux pas me faire ça ! gémit Marge en lui emboîtant le pas. Ce n'est pas… juste ! Quel genre de fille es-tu, pour abandonner ta vieille mère ainsi alors qu'elle a le plus besoin de toi ?

Après avoir ouvert, Alice se retourna sur le seuil et la dévisagea longuement, sans tendresse mais sans haine.

— Je t'ai pardonné pour ce que tu m'as fait, dit-elle. Autant qu'un être humain en est capable. Je t'accorde le bénéfice du doute, et je veux bien croire que tu ne savais pas ce que tu faisais, que ta mère t'avait probablement traitée aussi mal que tu m'as traitée. Mais jamais — tu m'entends ? *jamais* — je ne te ferai une place dans ma nouvelle existence.

— C'est moi qui t'ai donné la vie ! protesta sa mère en se tordant les mains, bien plus désespérée qu'enragée à présent. Tu me dois au moins ça…

Un sourire triste flotta sur les lèvres d'Alice, qui sans se laisser impressionner sortit sous le porche.

— Je suis venue te voir aujourd'hui parce que je pense que tout le monde peut changer. Et je crois également que chacun mérite une seconde chance. Mais tu n'as pas changé, et je pense que tu ne changeras jamais. Je ne te dois rien. Je me devais à moi-même de t'affronter une dernière fois, c'est ce que je viens de faire. Tu devrais être heureuse pour moi. Heureuse que ta fille ait pu sortir de la spirale du malheur.

Tranquillement, Alice descendit les marches et se retourna une dernière fois.

— S'il te plaît, n'essaie plus de me contacter. Adieu… Marge.

L'esprit tout à fait libre, Alice se retourna et traversa le jardin d'un pas léger. Le jour lui semblait radieux et pur, l'air frais et délicieux dans ses poumons, le soleil éclatant au-dessus de sa tête.

Elle atteignit sa voiture et se glissa derrière le volant sans jeter un regard en arrière. Le reflet de son visage qu'elle capta dans le rétroviseur la fit sourire, puis rire aux éclats. Le passé n'avait plus d'importance. Seul comptait le moment présent et ce qu'elle ferait de son avenir.

Dans le rétroviseur, son sourire se figea sur ses lèvres. Quel sens pourrait avoir son avenir sans Hayes ? Un doute affreux s'empara d'elle, suivi de son cortège de remords. N'avait-elle pas exigé de lui quelque chose qu'elle avait été elle-même incapable de lui offrir ?

Elle avait exigé sa confiance, la vérité des sentiments, et le courage de l'aimer sans se soucier des conséquences. Elle était tellement certaine de le voir la rejeter une nouvelle fois qu'elle ne lui avait pas accordé une seule chance. Par son intransigeance, elle avait choisi elle-même de mettre un terme à leur relation.

Alors qu'affluaient à sa mémoire tous les reproches qu'elle lui avait faits, Alice secoua la tête, désespérée de s'être montrée si impatiente et aveugle. Il ne saurait pas la rendre heureuse ? Mais il la rendait *déjà* heureuse ! Et si elle avait peur de souffrir de cette relation, il devait être sans doute tétanisé pour les mêmes raisons lui aussi…

Car naturellement, Hayes l'aimait. Il ne pouvait pas en être autrement… Chacun de ses gestes, chacune de ses réactions le prouvaient, même s'il ne parvenait pas à mettre des mots sur ce qu'il ressentait. Et si ce n'était pas le cas, alors elle ne s'avouerait pas vaincue et se battrait pour conquérir son amour… Elle allait lui montrer quelle femme elle était devenue !

En riant, Alice tourna la clé de contact et s'engagea sur la chaussée. Laissant derrière elle son passé, elle se lança à la recherche de Hayes, l'homme sans qui les chapitres de sa nouvelle vie ne pourraient jamais s'écrire.

Mais Hayes demeura introuvable. De retour dans sa rue après un long périple, Alice poussa un soupir de lassitude.

Il lui semblait avoir tout essayé. Elle était passée à son bureau, à l'hôpital, pour finir par l'attendre chez lui quatre heures durant. Dorénavant, sa perplexité cédait le pas à l'inquiétude.

Où pouvait-il être passé ?

Soudain, Alice stoppa si brutalement que le conducteur qui venait derrière elle, arc-bouté sur ses freins, l'abreuva de coups de Klaxon et de noms d'oiseaux. Elle venait d'apercevoir une silhouette debout sous son porche...

Alarmé par ce vacarme, Hayes releva les yeux et croisa son regard. Alice sentit son cœur déborder d'amour pour lui. A en juger par les gobelets de café et les cartons de nourriture à emporter qui jonchaient le sol à ses pieds, il devait être là depuis un long moment à l'attendre.

Et s'il l'avait attendue devant chez elle si longtemps, conclut-elle en entendant son pouls résonner à ses oreilles comme un tambour, ce ne pouvait être que parce qu'il l'aimait et ne pouvait se résoudre à leur rupture, tout comme elle...

Dans son dos, le conducteur irascible redoubla d'impatience. En toute hâte, Alice manœuvra pour se garer devant chez elle avec tant de précipitation qu'elle dut s'y reprendre à trois fois. Le cœur battant, elle coupa le contact et descendit du véhicule.

Depuis qu'il l'avait aperçue, Hayes ne l'avait pas quittée du regard un seul instant. Debout sous le porche, il demeura immobile, la regardant approcher avec un mélange d'espoir et d'appréhension. Alice s'arrêta au bas des marches et leva les yeux vers lui. Dans les siens, elle vit quelque chose qu'elle n'y avait jamais vu, mais qu'elle avait toujours rêvé d'y trouver.

— Hello, Hayes..., murmura-t-elle.

Mal à l'aise, il glissa ses mains au fond de ses poches et répondit : .

— Bonjour, Alice.

Du menton, elle désigna les emballages vides.

— Il me semble que celas fait un moment que tu m'attends...

Un rire léger échappa à ses lèvres.

— Tu ne crois pas si bien dire.

Quant à elle, songea Alice, il lui semblait l'avoir attendu toute sa vie… Sans le quitter des yeux, elle grimpa une marche, puis une autre, ne s'arrêtant que quand ils furent nez à nez.

— A l'hôpital, reprit-elle, je t'ai dit que nous n'avions plus rien à nous dire, sauf si tu étais capable de me dire que tu m'aimais.

Alice fit une courte pause, adressant au ciel une prière silencieuse.

— Avons-nous encore quelque chose à nous dire, Hayes ?

Avec une solennité presque religieuse, Hayes saisit son visage entre ses mains et plongea son regard dans le sien.

— Seigneur, oui ! lâcha-t-il dans un souffle. Je t'aime, Alice. Je t'aime, je t'aime, je t'aime, je…

Les lèvres d'Alice se refermant sur les siennes ne lui permirent pas de le répéter une fois de plus. Elle savait quant à elle qu'elle ne se lasserait jamais de l'entendre le lui répéter, mais qu'ils avaient à présent la vie devant eux pour cela.

— J'avais peur de souffrir encore…, lui confia-t-il précipitamment quand leurs lèvres se séparèrent. Autant que j'avais pu souffrir avec Isabel. Voilà pourquoi je te gardais inconsciemment à bout de bras, pourquoi je ne voulais pas m'engager émotionnellement à tes côtés. J'essayais de me convaincre que c'était pour te protéger, mais j'ai découvert qu'en fait c'était pour me protéger moi… J'étais intimement persuadé qu'en laissant libre cours à mon amour pour toi, je ne pourrais que souffrir encore. Je n'ai découvert que j'étais prêt à prendre même ce risque-là qu'hier, quand j'ai failli te perdre…

Avec un sourire reconnaissant, Alice posa l'index sur ses lèvres pour le faire taire.

— Moi aussi j'ai ma part de responsabilités, Hayes. J'attendais de toi que tu sois ce que tu n'es pas. Même si tu es l'homme que j'aime. Même si j'aime tout ce que tu es et qui fait que tu es toi. Ta force. Ta loyauté. La logique avec laquelle tu appréhendes le monde. La façon que tu as d'exprimer tes sentiments sans dire un mot.

Du bout des doigts, elle caressa ses lèvres et ajouta :

— Comme tu le fais en ce moment même… Tu es l'homme qu'il me faut, Hayes Bradford. Et tu l'as toujours été.

— Je te rendrai heureuse, Alice. Je le promets.

— Non, corrigea-t-elle en riant. Nous nous rendrons heureux l'un l'autre. Ce sera bien mieux ainsi. Je vais d'ailleurs te le prouver tout de suite…

Lui prenant la main, elle l'entraîna vers la porte d'entrée qu'elle déverrouilla aussi vite qu'elle le put. En riant comme un collégien, Hayes se laissa entraîner à l'intérieur.

Épilogue

— Combien de kilos ce volatile, Alice ?

Les yeux ronds, Hayes regarda sa femme tirer de l'emballage la dinde énorme qui s'y trouvait.

— Es-tu sûre qu'il s'agit bien d'une dinde ? reprit-il. Cela ressemble plutôt à un cochonnet...

— Très drôle, commenta Alice en dardant sur son époux un œil sévère. Une dinde de treize kilos n'est pas si grosse que cela. Surtout si l'on considère que Meg et sa famille vont en profiter... A lui seul, Josh est capable s'il est en appétit d'engloutir un tiers de cette volaille.

Hayes émit un rire caustique.

— Si tu espères me faire croire que c'est en pensant à lui que tu as acheté ce monstre, s'amusa-t-il, c'est raté. Depuis que tu manges pour trois, c'est plutôt toi qui vas lui faire un sort.

Un sourire très doux jouant sur ses lèvres, Alice caressa son abdomen déjà arrondi par la grossesse. La dernière échographie qu'elle venait de passer était sans ambiguïté possible. Elle attendait des jumeaux, tous deux en parfaite condition et ne demandant qu'à profiter de toutes les bonnes choses qu'elle était décidée à leur faire goûter jusqu'à leur naissance.

— Seriez-vous en train d'accuser votre épouse de glou-tonnerie caractérisée, maître Bradford ?

Hayes contourna la table et la prit dans ses bras, écrasant sur ses lèvres un baiser sonore. Relevant la tête, il eut un sourire ravi.

— Objection, Votre Honneur. Je plaide le cinquième amendement…

Alice tourna la tête vers Sheri. Debout devant la fenêtre, l'adolescente scrutait la rue depuis un long moment. Jeff était attendu d'une minute à l'autre, pour ses premières vacances à la maison depuis son entrée à Georgetown.

— Qu'est-ce que tu en penses ? lança Alice d'un ton badin. Dois-je lui pardonner, ou lui jeter mon livre de recettes à la figure pour lui apprendre à vivre ?

Les sourcils froncés, la jeune fille tourna les yeux vers elle, l'air absent et préoccupé.

— Vous disiez, Miss A. ? Excusez-moi, je n'écoutais pas.

— Aucune importance, répondit Alice en lui souriant gentiment.

Après un dernier baiser, Hayes la relâcha.

— Je vais chercher le reste des commissions, dit-il.

Pendant qu'il sortait de la pièce, Alice rejoignit Sheri.

— Je t'assure que tu n'as pas à t'en faire, lui assura-t-elle en posant une main sur son épaule. Il va venir, tu sais…

— Ce n'est pas ce qui m'inquiète, répondit la jeune fille en se mordillant la lèvre inférieure. Pensez-vous que ce sera… vous savez… comme avant entre nous.

Alice lui assena une pichenette amicale sur le bout du nez et assura d'une voix catégorique :

— J'en suis sûre. Il t'écrit deux fois par semaine, et ta note de téléphone dépasse presque la dette nationale. Comment pourrait-il en être autrement ?

Un long moment, Sheri parut méditer cette réponse en hochant la tête. Mais quand elle se retourna vers Alice, l'inquiétude n'avait pas quitté son regard.

— Mais si..., reprit-elle d'une voix hésitante. Si l'université l'avait transformé ? Ou si l'éloignement avait changé sa façon de me voir ? Après tout, il ne manque pas de filles belles et intelligentes autour de lui. Et s'il avait fini par comprendre qu'il ne m'aime plus ?

— Aucun risque !

Alice et Sheri se retournèrent simultanément vers la porte de la cuisine. Les bras chargés de paquets, Jeff s'y trouvait, le visage souriant et radieux, dévorant des yeux celle qui ne vivait plus en l'attendant.

A ses côtés, Hayes contemplait la scène, avec toute la fierté et l'émotion dont un père peut faire preuve sans renier sa dignité.

— Jamais ! renchérit Jeff d'une voix définitive.

Il eut juste le temps de tendre les paquets à son père et d'ouvrir les bras. Sheri s'y précipita et s'y enfouit en riant de bonheur et de soulagement.

Pendant qu'ils s'embrassaient avec effusion, Alice et Hayes échangèrent à travers la pièce un regard ému et complice. Un regard qui disait toute la joie de former une famille. Une famille *enfin*...

Chère lectrice,

Vous nous êtes fidèle depuis longtemps?
Vous venez de faire notre connaissance?

C'est pour votre plaisir que nous avons
imaginé un rendez-vous chaque mois
avec vos auteurs préférés, vos
AUTEURS VEDETTE dans les
collections Azur et Horizon.

Les AUTEURS VEDETTE vous
donneront rendez-vous pour de
nouveaux livres vedette.

Pour les reconnaître, cherchez
l'étoile . . . Elle vous guidera!

Éditions Harlequin

COLLECTION HORIZON

Des histoires d'amour romantiques qui vous mènent au bout du monde!

Découvrez la passion et les vives émotions qu'apportent à la Collection Horizon des auteurs de renommée internationale!

Captivantes, voire irrésistibles, ces histoires d'amour vous iront assurément droit au coeur.

Surveillez nos trois nouveaux titres chaque mois!

GEN-H-R

HARLEQUIN

COLLECTION ROUGE PASSION

- Des héroïnes émancipées.
- Des héros qui savent aimer.
- Des situations modernes et réalistes.
- Des histoires d'amour sensuelles et provocantes.

LAISSEZ-VOUS TENTER
par 3 titres irrésistibles
chaque mois.

RP-1-R

69 L'ASTROLOGIE EN DIRECT
TOUT AU LONG
DE L'ANNÉE.

(France métropolitaine uniquement)
Par téléphone 08.92.68.41.01
0,34 € la minute (Serveur SCESI).

Composé et édité par les
éditions Harlequin
Achevé d'imprimer en août 2004

BUSSIÈRE
GROUPE CPI

à Saint-Amand-Montrond (Cher)
Dépôt légal : septembre 2004
N° d'imprimeur : 43620 — N° d'éditeur : 10764

Imprimé en France